GUIDE ILLUSTRÉ DU BIEN-ÊTRE

VITAMINES & MINÉRAUX

D1414017

GUIDE ILLUSTRÉ DU BIEN-ÊTRE

VITAMINES & MINÉRAUX

KAREN SULLIVAN

KÖNEMANN

© 1998 Element Books Limited
Shaftesbury, Dorset, SP7 9BP, UK

Réalisé par The Bridgewater Book Company Limited

Titre original : *An illustraded Guide Vitamins & Minerals*

Tous droits réservés. Aucune partie de ce livre ne peut être reproduite ou utilisée sous quelque forme ou avec quelque moyen électronique ou mécanique que ce soit, y compris des systèmes de stockage d'information ou de recherche documentaire, sans l'autorisation écrite de l'éditeur. Les droits moraux de l'auteur ont été préservés.

Note de l'éditeur

Les informations contenues dans ce livre ne sauraient remplacer un avis autorisé. Avant toute automédication, consultez un praticien ou un thérapeute qualifié.

© 1999 pour l'édition française
Könemann Verlagsgesellschaft mbH
Bonner Str. 126, D-50968 Cologne

Traduction : Sylvie Fontaine
Révision : Docteur René Gentils
Lecture : Véronique Basset
Réalisation : Nathalie Kholodowitch
pour LITTLE BIG MAN, Paris

Chef de fabrication : Detlev Schaper
Impression et reliure : Sing Cheong Printing Co. Ltd.,
Hong Kong
Imprimé en Chine

ISBN : 3-8290-1507-0
10 9 8 7 6 5 4 3 2 1

Crédits photographiques

*L'éditeur tient à remercier les personnes suivantes
qui l'ont autorisé à utiliser des photographies :*
AKG, London : 81
Bridgeman Art Library : 65c (British Museum, Londres)
Harry Smith Collection : 81b
Hulton-Deutsch Collection/Corbis Images : 8d
Image Bank : 11b, 16d, 17d, 18, 41g, 44g, 60b, 60d, 67, 68g, 80b, 86h, 100h, 100g, 103b, 104h, 104b, 109b, 112h, 123b, 128h
Images Colour Library : 53, 92c
Robert Harding Library : 56g
Science Photo Library : 43b, 47b, 55b, 64d, 69g, 72b, 75h, 79b, 82g, 83bg, 117h, 120b, 135h, 136h
Stock Market : 2, 16g, 27d, 39d, 46c, 112h

Remerciements

Remerciements tout particuliers à :
Lily Adams, Tom Aitken, Cristina Fagarazzi, Jessie Fuller,
Geoffrey Gardeney, Joseph Harding, R. Harding,
N. Hobby, H. Jordan, Jeanne Lewington, J. Phillips, S. Sains,
Anna Spyropoulos, Julie Spyropoulos, Julie Whitaker, Deborah Wright,
Emily Wright, Victoria Wright
pour leur aide concernant les photographies.

Sommaire

Préface

L'IMPORTANCE DU RÉGIME ALIMENTAIRE *dans la médecine préventive et curative est de plus en plus reconnue. Le régime alimentaire est probablement le domaine dans lequel nous pouvons le mieux intervenir pour influer sur notre santé et notre vitalité en général. La découverte des vitamines, des minéraux et des oligo-éléments est relativement récente. Auparavant, la nutrition intervenait peu dans le traitement médical traditionnel. Aujourd'hui, le stress de notre vie quotidienne et les agressions de la pollution atmosphérique ont, entre autres, révélé nombre de problèmes de santé qui ont poussé les spécialistes à étudier la relation entre la santé et l'alimentation. Ces recherches ont été notamment encouragées par le comportement des personnes désireuses d'être plus responsables de leur santé, en étant plus attentives à leur régime alimentaire, à leur activité physique et au contrôle de leurs émotions. Elles se sont mises à consommer de « nouvelles » substances médicales – plantes et substances nutritives qui conservent un bon équilibre corporel. Contrairement à certains médicaments plus traditionnels, qui soulagent généralement les symptômes sans résoudre les problèmes de base, les substances naturelles – vitamines, minéraux et autres substances nutritives essentielles – ont une action sensiblement différente.*

CI-DESSUS *De nombreuses personnes complètent maintenant leur régime quotidien par un apport en vitamines, minéraux et autres éléments nutritifs.*

CI-DESSOUS
On reconnaît aujourd'hui qu'un régime équilibré et sain comporte de nombreux fruits.

CI-DESSUS
L'exercice physique joue un rôle primordial et aide à garder un corps en pleine santé.

Comment utiliser ce livre

Cet ouvrage est divisé en trois parties principales : un bref historique retrace le rôle de la thérapie nutritionnelle ; les suppléments nutritionnels disponibles sur le marché sont ensuite répertoriés à l'aide de listes ; les derniers chapitres tentent, enfin, d'expliquer comment traiter certaines maladies et se maintenir en forme.

Les premiers chapitres soulignent l'importance de la nutrition et des compléments alimentaires pour conserver une bonne santé.

Des textes clairs mettent en évidence les effets nocifs occasionnés par des carences en vitamines et en minéraux. Ils soulignent les raisons pour lesquelles nous sommes tous concernés par ces problèmes.

Les principaux minéraux, vitamines et autres compléments sont détaillés.

Les principaux compléments alimentaires et leur action sur le corps sont décrits. Des tableaux informatifs proposent une posologie.

Vous trouverez une description détaillée des principaux compléments alimentaires et leurs effets sur l'organisme.

Les derniers chapitres expliquent l'intérêt de certains régimes et compléments en fonction des besoins spécifiques de notre organisme.

Chaque maladie est traitée dans un encadré. Ses principales causes sont répertoriées ainsi que les suppléments à prendre pour les enrayer. Des posologies sont proposées.

Des encadrés détaillent les propriétés, les symptômes de carences et les sources de la substance. De petites annotations insistent sur les conséquences éventuelles.

Les maladies sont classées en fonction de la partie de l'organisme qu'elles affectent ; leurs symptômes sont également décrits.

Historique de la thérapie nutritionnelle

« LA NOURRITURE SERA VOTRE MÉDICAMENT et le médicament sera votre nourriture » (Hippocrate, Vᵉ siècle av. J.-C.). De fait, depuis les prémices de la civilisation, l'alimentation constitue la base des soins apportés à l'organisme humain. Bien avant de savoir écrire, l'humanité dépensait la plupart de son énergie vitale à la recherche de sa nourriture. Les aliments et les plantes, utilisés pour guérir toutes sortes de maux, ont constitué nos premiers médicaments. De façon plus ou moins consciente, il a toujours été admis que l'alimentation possédait de réelles vertus médicinales et qu'un régime varié, riche en ingrédients naturels, était la condition sine qua non à une bonne santé.

CI-DESSUS *Hippocrate (469-399 av. J.-C.) prônait l'importance d'un régime alimentaire équilibré pour se maintenir en forme.*

NATUROPATHIE

À la fin du XIXᵉ siècle, les naturopathes ont attiré l'attention sur l'utilisation possible de la nourriture et de ses composants comme médecine. Loin d'être nouveau, ce concept n'avait encore jamais été vraiment reconnu sur le plan thérapeutique. Les naturopathes se servaient de l'alimentation pour purger le corps et stimuler sa capacité d'autoguérison. Avec le développement de la biochimie, les connaissances sur la nourriture, sa composition et ses effets sur l'organisme devinrent plus complètes, et des spécialistes nutritionnels entreprirent de traiter certains symptômes et maladies à partir des composants alimentaires.

Dans la première moitié du XXᵉ siècle, les scientifiques dressèrent un inventaire précis des protéines, des hydrates de carbone, des graisses, des vitamines et des minéraux essentiels aux fonctions vitales de l'organisme. Plus de quarante nutriments furent alors répertoriés, dont treize vitamines. Alors que la connaissance en biochimie avançait, on découvrit l'impact des minéraux sur le corps humain.

Dans les années soixante, on définit les champs controversés de la psychiatrie et de la médecine orthomoléculaire; les médecins commencèrent à prescrire des régimes spécifiques et des compléments nutritionnels en fonction des symptômes de leurs patients, de leurs problèmes et de leurs besoins. Alors que les médecins « conventionnels » débattaient encore en termes de groupes fonda-

CI-CONTRE *Le travail de recherche en laboratoire a permis, à partir des années soixante, d'étendre nos champs de connaissances sur les propriétés nutritionnelles alimentaires.*

mentaux d'aliments, les nutritionnistes orthomoléculaires prescrivaient déjà des vitamines en doses importantes. Ils ordonnaient des substances biochimiques pour corriger les carences nutritionnelles à l'origine, selon eux, de nombreux troubles physiques et mentaux.

Dès lors, cette approche de la maladie ne se réduisait plus à un régime thérapeutique (appelé « alimentation clinique ») mené par des physiciens, mais devenait une étude holistique où l'être humain était considéré dans sa totalité. Cette étude recherche les carences, propres à chaque individu, pouvant être à l'origine des maladies.

LE RÉGIME OCCIDENTAL

Alors que les recherches sur l'alimentation se poursuivaient, le régime occidental moyen se dégradait. Les méthodes modernes de culture et de production, combinées à l'explosion de l'utilisation des plats cuisinés, ont indirectement entraîné une diminution de l'apport en substances nutritives et donc des carences plus importantes à long terme (*voir* pages 16 et 17). Par ailleurs, une croissante dépendance à l'appareil médical nous a souvent conduit à confier notre santé à un tiers, ayant pour résultat une moindre objectivité et une moindre intuition en ce qui concerne notre régime alimentaire, notre santé, et notre organisme.

Lorsque nous souffrons d'une affection ou d'une maladie, nous nous précipitons chez le médecin sans nous interroger sur la cause de ces symptômes. Être à l'écoute

LASAGNE

RATATOUILLE

PIZZA

CI-DESSUS *Si nous nous reposons trop sur les plats cuisinés, nous pouvons vite souffrir de carences.*

de son corps est fondamental pour conserver notre capital-santé. L'alimentation a un impact énorme sur notre santé mentale et physique, les aliments consommés ont des effets thérapeutiques et préventifs certains. Nous commençons seulement à établir le lien entre santé et alimentation.

CI-DESSOUS
Les agrumes sont riches en vitamine C. On en donnait aux marins au XVIIIᵉ siècle pour prévenir le scorbut.

CITRONS VERTS

LIMEYS

Au XVIIIᵉ siècle, les marins anglais consommaient des citrons verts afin de ne pas contracter le scorbut, une maladie provoquée par une grave carence en vitamine C. Les marins étaient surnommés pour cela les « Limeys » (*lime* : citron vert en anglais).

CITRONS

Rôle de la thérapie nutritionnelle

MALGRÉ LE LARGE ÉVENTAIL D'ALIMENTS *mis à notre disposition, nous ne mangeons pas toujours bien. Pourtant, une bonne alimentation est essentielle à notre bien-être. La thérapie nutritionnelle résout de nombreux problèmes de santé par l'observation de ce que nous consommons. Elle conseille des substances nutritives destinées à soigner des maux spécifiques et aide à identifier les éléments qui peuvent provoquer des allergies.*

Quinze vitamines, dix-huit minéraux et huit acides aminés ont été isolés comme étant essentiels au fonctionnement normal de notre organisme. Synergiques, ces substances contribuent à maintenir un fonctionnement optimal de l'organisme. Lorsqu'une ou plusieurs d'entre elles manquent, des symptômes – physiques et mentaux – apparaissent. Par exemple, une carence en vitamine C – essentielle au système immunitaire – entraîne une résistance moindre aux infections, des gencives qui saignent, des difficultés à cicatriser. Composants

PAIN COMPLET

FROMAGE

LAIT

BLÉ

CI-DESSUS *Des aliments comme le blé et les produits laitiers peuvent occasionner des allergies chez certaines personnes.*

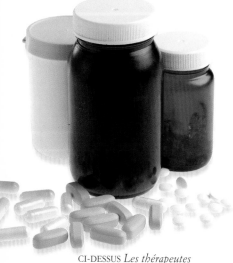

CI-DESSUS *Les thérapeutes nutritionnels prescrivent souvent des compléments alimentaires sous forme de comprimés.*

chimiques de nos aliments, les nutriments sont vitaux. Les praticiens spécialistes de l'alimentation sont des nutritionnistes. Les nutriments qu'ils prescrivent, appelés « compléments alimentaires », se présentent sous forme de comprimés, de gélules, de poudres, d'ampoules, ou peuvent être parfois directement injectés dans l'organisme pour un effet accéléré.

La thérapie nutritionnelle est reconnue comme une discipline à part entière depuis peu de temps, essentiellement parce que nos con-

naissances en matière d'alimentation en sont encore à leurs balbutiements. Cependant, l'alimentation est la pierre angulaire de nombreuses autres thérapies complémentaires, certaines appliquées depuis des millénaires. Un bon thérapeute pose toujours des questions sur les habitudes alimentaires et le mode de vie, puis donne des conseils nutritionnels afin de prévenir toute carence.

Cette thérapie a généralement pour objectif de concevoir des régimes destinés à alléger certains maux. Des allergies ou des intolérances alimentaires peuvent être la cause d'un malaise. Les régimes exempts de produits allergènes, tels que le blé ou les produits laitiers, suffisent parfois à améliorer l'état de santé du patient. Le thérapeute doit alors définir le déséquilibre sous-jacent à ce terrain allergique : l'intolérance peut être le symptôme d'un problème plus grave (troubles digestifs, muqueuses irritées) dû à un mauvais régime alimentaire.

SUR- ET SOUS-ALIMENTATION

Le régime alimentaire occidental typique ne comble pas les besoins de notre organisme. Il contribuerait même à détériorer l'état de santé, conduirait à l'obésité, aux maladies cardio-vasculaires, aux cancers, aux troubles digestifs, au vieillissement précoce et, dans de nombreux cas, à la mort. Le monde occidental est suralimenté et sous-nourri : la nourriture, dont nous disposons en abondance, est souvent dépourvue de valeur nutritionnelle.

CI-DESSOUS
Nombre de nos aliments sont nutritionnellement pauvres et ne devraient être absorbés qu'occasionnellement.

COMPLÉTER UN RÉGIME

Chaque individu devrait retirer les bienfaits d'un régime enrichi en compléments nutritifs dosés selon ses besoins spécifiques. L'organisme humain n'a pas été conçu pour gérer le stress de la vie moderne et le grand nombre de contraintes physiques subies au quotidien sous forme de toxines alimentaires et environnementales. Nous sommes maintenant capables de prendre soin de notre santé ainsi que de celle de notre famille et des générations futures. Forts de ces connaissances, nous pouvons profiter d'une meilleure qualité de vie et vivre plus longtemps.

Les compléments sont généralement composés de vitamines, de minéraux, d'acides aminés, d'acides gras essentiels (AGE), d'enzymes, de fibres et d'autres éléments bénéfiques au fonctionnement du corps humain. On les trouve dans la nourriture ou synthétisés dans notre organisme. Ces compléments peuvent aussi être synthétisés, chimiquement ou naturellement. Par exemple, certains compléments incluent des préparations à base d'extraits de plantes ou d'animaux comme les huiles de poisson, la levure, les algues. Ils sont prescrits dans le cadre d'un régime alimentaire ou pour leurs vertus thérapeutiques.

ALGUES

CI-DESSUS *Les compléments alimentaires nous aident à profiter de la vie dans des conditions optimales.*

Bien manger et consommer des compléments alimentaires

La première étape vers un régime alimentaire équilibré est d'acquérir de bonnes habitudes d'achat. Plus vos aliments sont frais, meilleurs ils sont. Les étapes suivantes concernent leur conservation et leur préparation. Malheureusement, la majorité de nos aliments est produite de telle sorte que même un régime alimentaire équilibré peut être carencé en substances nutritives, d'où la nécessité de consommer des compléments.

UN RÉGIME ALIMENTAIRE SAIN

Chaque organisme a des besoins spécifiques induits, entre autres, par son métabolisme, son mode de vie et ses habitudes alimentaires. Certaines personnes semblent pouvoir ingérer n'importe quoi sans en pâtir ; d'autres ont des points faibles définis, et un régime sain pour les unes peut être inapproprié pour les autres. Un régime alimentaire équilibré est un régime riche en nutriments nécessaires au corps pour grandir, guérir et vivre bien selon les contraintes d'une vie moderne normale. Il fournit de l'énergie et permet de fonctionner à un niveau optimal sans être malade. Pour être sûr de consommer le maximum de nutriments, préférez des produits frais, non raffinés, et le plus proche possible de leur source de production.

Idéalement, vitamines et minéraux devraient être présents dans nos aliments, mais les méthodes de production modernes, les raffinages successifs, conjugués à l'absorption d'alcool et de boissons caféinées, provoquent un appauvrissement de nos repas en éléments essentiels.

CI-DESSOUS *Un régime équilibré est composé de féculents, de fruits, de légumes, de protéines et de certaines graisses.*

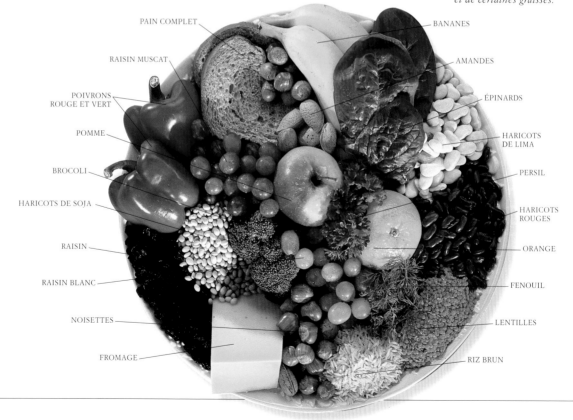

PAIN COMPLET

RAISIN MUSCAT

POIVRONS ROUGE ET VERT

POMME

BROCOLI

HARICOTS DE SOJA

RAISIN

RAISIN BLANC

NOISETTES

FROMAGE

BANANES

AMANDES

ÉPINARDS

HARICOTS DE LIMA

PERSIL

HARICOTS ROUGES

ORANGE

FENOUIL

LENTILLES

RIZ BRUN

BROCOLI

CHOUX DE BRUXELLES

CHOU FLEUR

CHOU

CI-DESSUS *Pour garder toutes les substances nutritives, ne lavez, n'égouttez et ne coupez les aliments qu'au dernier moment, juste avant de les cuire ou de les consommer.*

ASTUCES ALIMENTAIRES

Notre régime devrait comporter des hydrates de carbone complexes, c'est-à-dire peu ou non raffinés (de cinq à neuf portions par jour) des fruits et des légumes (de quatre à neuf portions), des protéines (de trois à cinq portions) et des graisses (moins de 30 g). Une portion correspond à ce que l'on sert en moyenne : deux pommes de terre de taille moyenne par exemple. Cependant, consommer les « bons » aliments ne signifie pas toujours avoir les « bonnes » substances nutritives : les raffinages successifs et l'emploi de pesticides, ou autres agents utilisés dans le processus de production, les privent de la majorité de leur valeur nutritive. Bien avant d'atteindre les rayons de notre supermarché, nos aliments sont déjà appauvris. Voici quelques conseils pour préserver les substances nutritionnelles :
• mangez la peau des légumes aussi souvent que possible ;
• ne coupez, ne lavez, n'égouttez vos fruits et légumes que lorsque vous êtes sur le point de les manger. Les exposer à l'air tue une grande partie de leurs qualités nutritives ;
• mangez du riz et des céréales complètes ;
• choisissez des fruits et des légumes frais (plus vous les conservez, plus ils perdent leurs qualités nutritives). Si vous ne les mangez pas tout de suite, congelez-les ;
• privilégiez les aliments crus ou faites-les cuire dans peu d'eau ;
• si vous faites bouillir vos fruits ou vos légumes, utilisez le jus de cuisson dans vos sauces ;
• préférez si possible des aliments issus de l'agriculture biologique. Moins raffinés, ils sont plus nourrissants et ont poussé sans produits chimiques.

UN RÉGIME SAIN EST-IL UN RÉGIME CHER ?

Un régime équilibré n'a pas besoin d'être cher, il l'est même parfois moins qu'un régime pauvre. Peu de personnes ont, par exemple, besoin de manger tous les jours des aliments onéreux comme la viande (les protéines végétales contenues dans les lentilles ou le soja sont peu onéreuses en comparaison), et les aliments frais sont toujours moins chers que les produits déjà prêts. Votre principal problème sera plutôt de trouver le temps matériel pour acheter de tels produits plusieurs fois par semaine, puis de les cuisiner correctement. À chacun de s'organiser. Avoir un congélateur est utile. Prenez le temps de faire une bonne soupe de légumes variés, frais et secs, et congelez-la en petite quantité ; vous n'aurez qu'à la sortir quand vous en aurez envie et aurez ainsi un plat riche en substances nutritives. Le riz et les légumes secs peuvent aussi se préparer en grande quantité et se congeler.

CI-DESSOUS
Congelez certains aliments, vous vous assurerez des compléments tout prêts pour vos repas.

L'apport vital de notre alimentation

NOS ALIMENTS SONT CONSTITUÉS DE NOMBREUX ÉLÉMENTS. *Les plus importants sont les protéines, les hydrates de carbone, les graisses et les fibres, les vitamines et les minéraux. Les aliments complets – non raffinés ou transformés – apportent des nutriments à l'état naturel et sont donc plus nutritifs. Les processus de transformation détruisent les nutriments et leur équilibre naturel. Il est primordial de bien comprendre la composition des aliments et la meilleure façon de les consommer.*

Un régime équilibré est constitué de cinq groupes différents : les graisses, les hydrates de carbone, les protéines, les minéraux et les vitamines. Nous avons aussi besoin d'eau. Présente dans la plupart des aliments, elle est le principal constituant de notre corps. Les protéines devraient composer 15 % du régime, les hydrates de carbone 60 % (voire plus), et les graisses entre 25 et 30 %. Les vitamines et les minéraux se trouvent dans chacun de ces groupes. Dans le corps, les protéines, les hydrates de carbone et les graisses s'associent à d'autres substances afin de générer de l'énergie, construire les os et les tissus. Ces réactions chimiques, accélérées par certaines vitamines, se produisent dans l'ensemble de l'organisme. Les vitamines se divisent en deux catégories : celles solubles dans l'eau (vitamines B et C) et celles solubles dans les graisses (vitamines A, D, E et K).

Les vitamines solubles dans l'eau, absorbées par l'intestin, sont transportées par le sang dans les tissus. L'organisme ne les conserve pas : nous devons en prendre quotidiennement pour éviter toute carence.

Les vitamines solubles dans la graisse ont des fonctions bien spécifiques : l'intestin les absorbe et le système lymphatique les répartit dans l'organisme. Elles jouent un rôle dans la structure de la membrane des cellules.

Un surdosage de ces vitamines, surtout A et D, peut entraîner une forme d'intoxication.

Sans la présence des dix-huit minéraux nécessaires au fonctionnement de notre corps, les vitamines ne sont pas réellement assimilées.

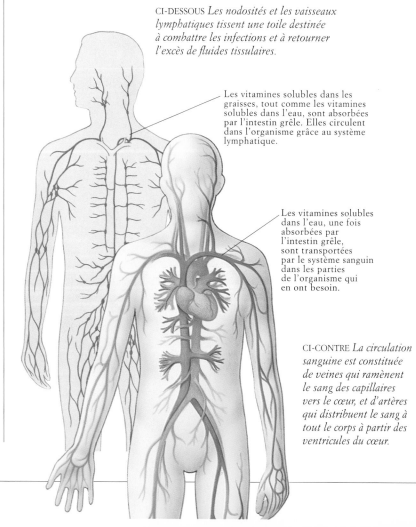

CI-DESSOUS *Les nodosités et les vaisseaux lymphatiques tissent une toile destinée à combattre les infections et à retourner l'excès de fluides tissulaires.*

Les vitamines solubles dans les graisses, tout comme les vitamines solubles dans l'eau, sont absorbées par l'intestin grêle. Elles circulent dans l'organisme grâce au système lymphatique.

Les vitamines solubles dans l'eau, une fois absorbées par l'intestin grêle, sont transportées par le système sanguin dans les parties de l'organisme qui en ont besoin.

CI-CONTRE *La circulation sanguine est constituée de veines qui ramènent le sang des capillaires vers le cœur, et d'artères qui distribuent le sang à tout le corps à partir des ventricules du cœur.*

CHOISIR DES ALIMENTS FRAIS ET COMPLETS

Les régimes alimentaires occidentaux sont souvent riches en cholestérol et en graisses (surtout les graisses non saturées, très nocives), pauvres en fibres, élevés en sucres raffinés et en produits d'origine animale. Les personnes dont le régime est pauvre en graisse et en cholestérol, riche en fibres, en fruits et en légumes sont généralement minces, actives et en meilleure santé. Les douleurs, les maux de tête, le diabète, les déficiences immunitaires, les problèmes dermatologiques et digestifs peuvent être liés à un régime nutritionnel pauvre ; les symptômes disparaissent souvent lorsque l'alimentation est surveillée.

POIVRON ROUGE · CHOU FRISÉ · POMMES DE TERRE · MAÏS DOUX · PETITS POIS · POIVRON VERT · BROCOLI · PERSIL · RAISIN NOIR · BANANE · ORANGE · POIRE · RAISIN BLANC · RIZ · LENTILLES ROUGES · HARICOTS ROUGES

RÉGIMES SPÉCIAUX

Certains régimes répondent à des besoins spécifiques. Par exemple, les personnes qui souffrent de maladies cardio-vasculaires doivent réduire leur consommation en graisses animales et exclure le sel. D'autres régimes à base d'aliments crus ont un effet purgatif sur l'organisme. En général, cependant, les régimes doivent être variés et limiter les restrictions.

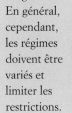

Les fruits frais, les salades et les légumes devraient figurer au menu chaque jour ; les viandes et les poissons frais devraient remplacer les aliments surgelés. En effet, les processus de congélation et de conditionnement ôtent souvent aux aliments un peu de leurs vertus nutritives. Dans la mesure du possible, il est également préférable de sélectionner des aliments de production locale, car un long stockage nuit aux produits frais. Il convient de toujours lire les étiquettes et d'éviter des produits contenant des arômes artificiels, des conservateurs et des colorants, la plupart d'entre eux étant nocifs.

CI-CONTRE *Il est recommandé de manger des aliments biologiques aussi souvent que possible : ils sont plus nutritifs que les autres.*

CI-DESSUS *Des aliments non raffinés apportent plus de substances nutritives et favorisent la digestion.*

ALIMENTS COMPLETS

Un régime équilibré comporte des aliments complets ou non raffinés. Certains éléments nutritifs sont perdus dans le processus de raffinage. Il en résulte un produit pauvre sur le plan nutritionnel qui, privé de ses fibres originelles, est difficile à digérer. Les produits issus de la culture biologique sont conseillés, même s'ils sont malheureusement plus chers que les autres.

Signes de carences

LES CARENCES EN VITAMINES ET MINÉRAUX *ne se manifestent pas toujours sous forme de problèmes graves, car nous ne sommes jamais très carencés dans l'une des substances nutritives. Cependant, les manques en oligo-éléments sont très courants et provoquent des symptômes mineurs comme les maux de tête récurrents, les insomnies chroniques ou les problèmes de peau. Ces petits problèmes, lorsqu'ils ne sont pas traités, peuvent devenir plus graves : il est primordial de combler tout déséquilibre nutritionnel ou carences bénignes dès leur apparition.*

Peu de gens ont aujourd'hui des carences importantes en vitamines et minéraux susceptibles de provoquer des manifestations telles que le scorbut ou la pellagre. Cependant, nous sommes nombreux à souffrir de déficiences mineures, appelées « carences infracliniques ». Elles se manifestent par un état général moyen, des maux de tête, des insomnies, de l'irritabilité, une prédisposition aux infections et des troubles digestifs. Certaines personnes n'ont pas les moyens ou pas le temps d'acheter des fruits et des légumes frais, d'autres consomment essentiellement des plats cuisinés. Les femmes sont souvent trop occupées pour porter attention à leurs besoins réels, et certaines études ont montré que 20 % des femmes en âge de procréer sont carencées. Les jeunes mères peuvent l'être légèrement : leur organisme est très sollicité par la nourriture de leur enfant.

Ces symptômes souvent peu décelables ont des répercussions sur le métabolisme qui peuvent être très dangereuses. Par exemple, un manque en substances antioxydantes peut entraîner un niveau élevé de substances toxiques intermédiaires, comme l'éthanol, produit par le foie lors de désintoxications. Dans des circonstances normales, les antioxydants annuleraient ces effets nocifs. L'accumulation de telles substances aurait son importance dans le

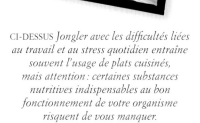

CI-DESSUS *Jongler avec les difficultés liées au travail et au stress quotidien entraîne souvent l'usage de plats cuisinés, mais attention : certaines substances nutritives indispensables au bon fonctionnement de votre organisme risquent de vous manquer.*

développement de maladies comme le syndrome parkinsonien et des troubles moteurs neuronaux. Même si de tels symptômes se développent à long terme, le corps médical se refuse encore à établir un lien entre les carences nutritionnelles et l'apparition de ces maladies.

Les jeunes mamans, les personnes qui suivent un régime amaigrissant, les enfants, les adolescents et les personnes âgées sont bien sûr particulièrement vulnérables.

CI-CONTRE *Allaiter entraîne des besoins supplémentaires à considérer avec attention.*

LES CAUSES DES CARENCES

Les causes de carences peuvent être dues à :

- une alimentation inadéquate
- une mauvaise digestion
- une ingestion inadéquate
- une assimilation inadéquate
- des besoins accrus
- des pertes accrues

CI-CONTRE
Assurez-vous que vos enfants ont une alimentation équilibrée car ils sont particulièrement sujets aux carences.

SYMPTÔMES ÉVENTUELS DE CARENCES

Votre organisme manifeste ses besoins lorsqu'il est déficient. Suit une liste de troubles dont une carence alimentaire peut être à l'origine :

SYMPTÔMES	CARENCES
Chute de cheveux	Vitamine B12, B6, sélénium
Problèmes de vue	Vitamine A, C
Nervosité	B6, B12, B3, B5, magnésium, vitamine C
Infections	Vitamines A et du groupe B, biotine, calcium, potassium
Fatigue	Zinc, fer, vitamines A, B, C, D
Constipation	Vitamines C et du groupe B
Diarrhée	Vitamine A, K, niacine (B3)
Crampes musculaires	Vitamine B1, biotine, sodium, vitamine D, calcium, magnésium
Problèmes de peau	Vitamines A, et du groupe B, biotine, cuivre

ANALYSES

Consultez un nutritionniste pour connaître votre taux en minéraux, vitamines ou autres éléments essentiels. Il vous prescrira une série d'analyses qui mettront à jour d'éventuelles carences et permettront d'y remédier. Les diététiciens disposent de douzaines de tests de laboratoire pour établir un diagnostic fiable et mesurer précisément l'intolérance au sucre, le taux en vitamines et en minéraux dans le sang, en insuline, ainsi que le fonctionnement de la thyroïde. L'analyse des cheveux permet d'évaluer la teneur en oligo-éléments et révèle les habitudes alimentaires du patient ; les tests déterminent aussi la quantité des toxines éventuellement présentes.

CI-DESSOUS *Les tests de laboratoire aident à définir les compléments nécessaires au cas par cas.*

CI-CONTRE *Les carences en vitamines et en minéraux se manifestent dans l'organisme à travers divers maux et maladies.*

Intoxication

NOS ALIMENTS SONT RAREMENT PURS. *Souvent aspergés, ils poussent dans des sols enrichis chimiquement en engrais et en pesticides. Pire encore : certains aliments sont maintenant génétiquement manipulés, et nous ignorons l'effet à long terme de ces procédés sur la santé. Notre organisme doit, entre autres, convertir les toxines en substances non nocives. Mais la vie moderne laisse des traces : il est intoxiqué à des niveaux auparavant inimaginables, ce qui le conduit à fournir d'énormes efforts de « détoxication ». Certains nutriments peuvent l'aider.*

CI-DESSUS *La plupart des produits agricoles sont traités par des pesticides et des insecticides très nocifs.*

Nos aliments subissent bien souvent des traitements chimiques avant d'arriver sur les étals : pesticides, insecticides, engrais chimiques ; hormones de croissance et antibiotiques à hautes doses pour les animaux d'élevage.

La pollution des terrains dans lesquels sont cultivés nos aliments augmente encore leur taux en substances chimiques. Résultat : au lieu de nous apporter les nutriments nécessaires, ils accroissent l'intoxication dont souffre déjà notre organisme par un stress supplémentaire.

Dangereuse, cette intoxication semble être à l'origine de nombreux maux. L'une des fonctions les plus importantes de notre organisme est de convertir les produits et les toxines en substances solubles inoffensives qui s'éliminent par les voies urinaires ou intestinales. Le foie joue un rôle essentiel dans ce processus dit de « détoxication ». Les personnes au taux élevé en toxines – provenant des produits chimiques de certains aliments et de médicaments – auront besoin d'un apport supplémentaire en vitamines et en minéraux.

TOUT SAVOIR SUR LES ANTIOXYDANTS

Les antioxydants sont des composants qui freinent les réactions chimiques au contact de l'oxygène présent dans l'organisme. L'oxydation peut être à l'origine de la formation de nombreuses molécules réactives appelées radicaux libres. Des métaux, comme le cuivre, ont souvent un effet catalyseur. Certaines réactions endommagent les cellules. Les antioxydants freinent ces modifications en s'associant avec les métaux ou en neutralisant les radicaux libres. Les antioxydants naturels peuvent également intervenir directement sur l'oxygène.

Les substances nutritives antioxydantes – vitamines C, E, bêta-carotène, zinc et sélénium entre autres – sont reconnues comme pouvant retarder le vieillissement. Présentes notamment dans les fruits, les amandes, les noisettes, les noix et la plupart des légumes, elles protègent l'organisme des radicaux libres qui provoquent des dommages cellulaires, dont les cancers, les maladies cardiaques et le vieillissement : certains experts pensent même que ce dernier résulte de l'action insidieuse des radicaux libres qui oxyderaient les cellules progressivement.

Les antioxydants, défense naturelle de l'organisme contre les radicaux libres, sont présents dans les aliments riches en nutriments. Même un régime équilibré peut être pauvre en antioxydants, il est donc conseillé d'en absorber au quotidien. De nombreuses analyses ont démontré que l'apport de vitamines complémentaires – 2 000 mg de C et 400 mg de E – pouvait réduire sensiblement le nombre de crises cardiaques, infarctus, cataractes et autres maladies ; elles contribuent aussi à réduire l'effet de vieillissement.

CI-DESSOUS *Les amandes, les noisettes, les noix, les fruits et les légumes frais sont de bonnes sources en antioxydants.*

CAROTTES

MANGUE

BROCOLI

NOIX DU BRÉSIL

Les flavonoïdes (*voir* page 85) ont également des actions antioxydantes. Le ginkgo biloba (*voir* page 82) est une bonne source de flavonoïdes antioxydants connus sous le nom de proanthocyanidines. La peau des cerises burlats, des groseilles et des myrtilles est également riche en proanthocyanidine. Les flavonoïdes, appelés anthocyanosides, présents dans certains extraits de myrtilles, ont une importante action antioxydante, plus efficace, selon certains avis médicaux, que les vitamines C et E. D'autres antioxydants contiennent de la quercitrine, des enzymes réductase et catalase de méthionine, une substance que l'on trouve dans le foie, appelée acide aslipoïque, et le coenzyme Q10.

CI-CONTRE *De nombreux praticiens pensent que l'effet de vieillissement est en partie dû à l'effet dégénérant des radicaux libres.*

LES ANTIOXYDANTS DIMINUENT LES RISQUES DE CATARACTE

LES ANTIOXYDANTS AIDENT À RETARDER L'EFFET DU VIEILLISSEMENT

LA VITAMINE E PRÉVIENT LES MALADIES CARDIO-VASCULAIRES, MAIS DEMANDEZ CONSEIL À VOTRE PRATICIEN SI VOUS SUIVEZ UN TRAITEMENT

CI-DESSUS *Les myrtilles sont particulièrement riches en antioxydants.*

Prendre des compléments alimentaires

PARCE QU'IL EST IMPOSSIBLE *de savoir avec certitude si nous puisons tous les nutriments nécessaires dans notre alimentation, les compléments alimentaires compensent les carences éventuelles. Disponibles sous différentes formes, ils peuvent être pris régulièrement à faible dose, comme assurance-santé, ou pour traiter des problèmes mineurs. Les nutritionnistes prescrivent parfois des doses plus fortes afin de guérir des troubles spécifiques.*

Deux principaux types de préparations multivitaminées sont aujourd'hui accessibles au public et au corps médical : le type prophylactique et le type thérapeutique.

Les vitamines prophylactiques apportent en principe pour moitié l'apport nécessaire en vitamines, excepté en vitamine D qui ne doit pas dépasser les 400 unités internationales (ui) et en vitamine A qui ne doit pas excéder 1 000 équivalents rétinols. Ces préparations sont essentiellement conçues pour prévenir et compléter un régime dans certains cas de stress exceptionnel.

Les préparations multivitaminées thérapeutiques sont prescrites par les médecins pour combler les carences et alléger certains troubles pathologiques graves.

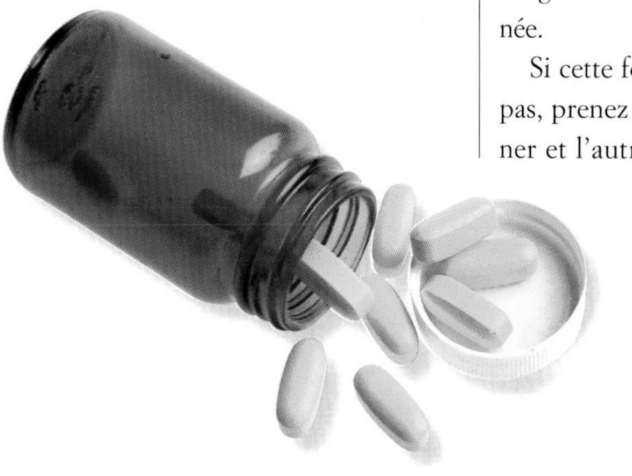

QUAND PRENDRE DES COMPLÉMENTS ?

Le meilleur moment pour absorber des compléments se situe généralement après les repas : leur digestion est facilitée lorsque l'estomac travaille. Certaines formules libèrent leurs principes actifs pendant plusieurs heures et, lorsque le repas n'a pas été assez copieux, ils risquent de passer trop rapidement dans l'organisme sans avoir atteint leurs cibles. N'oubliez pas de lire attentivement les notices d'emploi.

Les vitamines et les minéraux sont plus efficaces lorsqu'ils sont absorbés tout au long de la journée. Les vitamines solubles dans l'eau, surtout celles du groupe B et C, sont rapidement éliminées. Diviser la dose quotidienne en trois miniprises permet de maintenir un taux suffisant dans l'organisme tout au long de la journée.

Si cette formule ne vous convient pas, prenez la moitié au petit déjeuner et l'autre moitié après le dîner.

Les minéraux sont essentiels à l'assimilation correcte des vitamines, c'est pourquoi il est important de les prendre ensemble.

Si vous devez ingérer vos compléments en une seule prise, prenez-les plutôt après votre repas principal,

CI-CONTRE *Les préparations multivitaminées sont disponibles en comprimés pour compléter votre régime alimentaire et prévenir les maladies.*

QU'EST-CE QUE LE SUPERDOSAGE ?

Le superdosage ou thérapie supervitaminée, consiste à consommer des vitamines en quantité importante. L'expression « thérapie survitaminée » est souvent mal employée. Elle ne devrait en effet pas être usitée lorsque des compléments ont été prescrits en faible quantité dans le but, par exemple, de corriger certaines carences. Des recherches scientifiques sont actuellement en cours pour déterminer la valeur et les éventuels dangers d'une très forte absorption de vitamines. Certains minéraux et vitamines peuvent être pris en grosse quantité sans influencer l'équilibre de l'organisme, mais il est primordial de comprendre les effets de ces compléments sur l'organisme avant de les consommer en doses élevées.

ils sont ainsi mieux assimilés. Essayez d'éviter, si possible, de prendre une seule vitamine en quantité importante car cela pourrait agir sur les autres nutriments. Si vous devez absorber 1 000 mg de vitamine C, divisez cette dose en trois et fractionner les prises au cours des principaux repas, à moins qu'il ne s'agisse d'une préparation à effet différé ; dans ce cas, il est possible d'avaler vos vitamines en une seule prise durant votre repas le plus complet.

CI-DESSOUS
La plupart des compléments agissent mieux lorsque l'estomac est plein. Essayez de les absorber après votre repas principal.

QUAND PRENDRE DES COMPLÉMENTS ALIMENTAIRES

Vitamines A, D, E (solubles dans les graisses)	Absorbez-les régulièrement avec des aliments.
Fer	À jeûn (cela peut dans certains cas entraîner des nausées ; si c'est votre cas, avalez-le avec de la nourriture).
Calcium	Les doses élevées devraient être prises la nuit ou entre les repas.
Zinc	Le zinc devrait être absorbé pendant le repas ; il peut, sinon, provoquer des nausées.
Vitamines du groupe B	Dès le lever pour le maximum d'efficacité ; sinon, à n'importe quel moment de la journée.
Vitamine C	Plus efficace lorsqu'elle est absorbée au cours d'un repas et plus sûre également si vous souffrez de brûlures d'estomac. Prenez-la plutôt le matin afin de ne pas souffrir d'insomnie.
Magnésium	Peut provoquer une somnolence, prenez-le plutôt avant le coucher.
Multivitamines, oxydants, minéraux	À n'importe quel moment de la journée, absorbez-les en buvant de l'eau.
Compléments à effet différé	À ingérer lors du repas principal.

DOSAGES

L'unité internationale (ui) est le système qui mesure l'activité des vitamines A, D, et E. De nombreux produits, particulièrement ceux prescrits à haute dose, sont encore vendus en unités internationales par habitude. Les scientifiques n'utilisent plus ce système, mais mesurent les vitamines en microgrammes.

1 ui de vitamine A = 0,3 mcg

1 ui de vitamine D = 0,025 mcg

1 ui de vitamine E = 0,7 mcg

Les autres vitamines et minéraux se mesurent en :

microgrammes	**mcg**
milligramme (1 000 mcg)	**mg**
gramme (1 000 mg)	**g**

D'où proviennent les compléments alimentaires

LA PLUPART DES VITAMINES *proviennent de sources naturelles ;*
les autres sont synthétisées en laboratoire. Les vitamines synthétiques
peuvent provoquer des réactions toxiques chez certains individus sensibles.
Les vitamines naturelles, même en doses élevées, sont préconisées.
Elles sont donc davantage conseillées que leurs équivalents synthétiques
bien que ces derniers soient souvent moins onéreux.

Les compléments naturels associent plusieurs nutriments. Alors que la vitamine C de synthèse est constituée d'acide ascorbique seulement, la vitamine C naturelle (extraite du cynorrhodon par exemple) contient des bioflavonoïdes et des C-complexes. Ceci renforce l'efficacité de l'acide ascorbique ; plus assimilable, elle occasionnera moins de réactions toxiques ou allergiques. Les vitamines synthétiques sont aussi efficaces, mais auraient moins d'effets que leurs équivalents naturels.

Les compléments alimentaires se présentent sous différentes formes, et certaines sont plus appropriées que d'autres : testez-les afin de découvrir la formule qui vous convient le mieux. Les vitamines en poudre sont absorbées plus facilement par les enfants et les personnes âgées. Certains liquides ou huiles

CI-CONTRE La vitamine C est extraite naturellement du cynorrhodon et contient des bioflavonoïdes.

entraînent parfois des réactions ; dans ce cas, choisissez une autre formule.

Les compléments contiennent différentes quantités d'ingrédients actifs. Lire attentivement la posologie. Si vous avez un doute, demandez conseil à votre pharmacien.

CI-DESSOUS
Les compléments alimentaires se présentent sous formes variées : gélules, comprimés, poudres solubles, huiles.

CI-DESSOUS
Les enfants et les personnes âgées préfèrent généralement les poudres solubles aux autres formules.

LES DIFFÉRENTES PRÉSENTATIONS DES COMPLÉMENTS ALIMENTAIRES

Les poudres solubles

De nombreuses vitamines et de nombreux minéraux se présentent sous cet aspect, surtout la vitamine C. Cette formule est particulièrement efficace sans liant et sans additifs (utiles pour les personnes allergiques).

Les gélules

Elles sont faciles à avaler et à conserver. Les vitamines solubles dans l'eau sont souvent conditionnées ainsi. Une gélule peut contenir de la poudre ou de l'huile, les poudres sont plus efficaces.

Les ampoules

Elles sont surtout destinées à ceux qui ont des difficultés à avaler les comprimés ou les gélules. C'est souvent le cas des enfants. De plus, elles peuvent être diluées dans les aliments ou les boissons.

Les comprimés

C'est également une des présentations les plus courantes pour les vitamines et les minéraux ; ils se conservent ainsi plus facilement. Lire attentivement la notice pour voir la liste des additifs présents (ils sont destinés à préserver la densité ou l'ingrédient actif).

La chélation

Afin d'être plus efficacement assimilés, les minéraux sont combinés à des acides aminés. On dit alors qu'ils sont « chélatés ».

Les produits chélatés sont particulièrement recommandés : ils sont trois à cinq fois plus efficaces que leurs équivalents non chélatés.

CAPSULES

HUILE

Les produits à effet différé

Ces produits sont le résultat d'un processus qui leur permet de circuler dans l'organisme pendant une période de huit à dix heures. Ce procédé est particulièrement nécessaire pour les vitamines solubles dans l'eau dont le surplus est assimilé deux ou trois heures après leur absorption. Des études ont montré que ces formules à retardement sont plus efficaces et stabilisent le niveau sanguin jour et nuit.

DE QUOI SONT CONSTITUÉS LES COMPLÉMENTS ALIMENTAIRES ?

La plupart des compléments alimentaires contiennent des ingrédients pour conserver ou lier les nutriments. Certaines personnes pouvant présenter des allergies, il est très important de lire attentivement les modes d'emploi et les notices afin de connaître les additifs contenus dans la formule choisie.

Enrobage

Ils préservent les ingrédients et, parfois, masquent un goût désagréable. Ils facilitent l'absorption des comprimés.

Arômes

Les arômes et les édulcorants sont aussi quelquefois ajoutés aux comprimés à croquer sous forme de fructose (le sucre des fruits), de dextrines de malt, de sorbitol ou de maltose, rarement de sucre.

Lubrifiants

Grâce à eux, les comprimés se détachent aisément de la machine de fabrication. Il s'agit généralement de calcium, de stéarate et de silice.

Liants

Ils servent généralement à agglomérer les éléments d'un comprimé. Il s'agit surtout de cellulose et de cellulose éthylique ; on peut aussi trouver de l'acacia (gomme végétale), ou de l'algine, un hydrate de carbone que l'on trouve dans les plantes. La lécithine et le sorbitol

COMPRIMÉS

peuvent aussi servir de liant à la composition de certains produits.

Matière de remplissage (Excipients)

POUDRE

Ils donnent aux comprimés une taille pratique pour l'absorption. Le phosphate de dicalcium, bonne source en calcium et en phosphate, est le plus souvent utilisé. La cellulose et les sorbitols peuvent l'être dans certains cas.

Colorants

Ils rendent le produit plus attrayant. Les colorants sont souvent naturels, le carotène par exemple.

Consulter un spécialiste

LES SYMPTÔMES MINEURS *de certains troubles se soignent facilement par l'absorption des bons compléments nutritionnels. Si vous devez traiter une maladie spécifique, n'hésitez pas à faire appel à un spécialiste de l'alimentation. Votre généraliste vous indiquera un thérapeute nutritionniste, un diététicien ou un nutritionniste clinique, ou vous soignera lui-même s'il a suivi une formation en nutrition.*

CI-DESSUS *Un spécialiste vous posera de nombreuses questions sur votre mode de vie, y compris votre consommation éventuelle d'alcool ou de tabac.*

Si vous cherchez à améliorer votre état général plutôt que traiter un problème particulier, vous pourrez parfaitement vous soigner chez vous sans remettre en cause le délicat équilibre de l'organisme. Cependant, si, pour des raisons de santé, il vous est recommandé de prendre des compléments nutritionnels, il serait plus sage de vous adresser à un spécialiste habilité à vous faire subir des analyses qui identifieront vos carences et les besoins de votre organisme.

Votre généraliste vous indiquera peut-être un diététicien de sa connaissance ou bien un nutritionniste clinique, surtout si vous souffrez de troubles chroniques. Les thérapeutes nutritionnels ne sont généralement pas conventionnés, mais peuvent être associés à un généraliste ou faire partie d'un cabinet réunissant différentes spécialités dites parallèles. Les thérapeutes nutritionnels qualifiés, enregistrés au conseil de l'Ordre, doivent être en mesure de prouver qu'ils ont suivi un cursus rigoureux reconnu en nutrition.

CI-CONTRE *Lors de la consultation, on vous demandera de détailler vos traitements médicaux éventuels.*

UN LONG ENTRETIEN GÉNÉRAL AURA LIEU

VOUS DÉTAILLEREZ VOTRE RÉGIME ALIMENTAIRE

VOUS DISCUTEREZ DE VOTRE ACTIVITÉ PHYSIQUE

CI-CONTRE *Votre généraliste pourra vous recommander un thérapeute nutritionnel.*

QU'ATTENDRE D'UNE CONSULTATION ?

Une consultation avec un thérapeute nutritionnel dure généralement une heure : il vous pose des questions sur votre état de santé, votre régime alimentaire, vos habitudes (alcool, tabac), votre activité physique, votre histoire émotionnelle et physique, le traitement éventuellement en cours (un contraceptif oral par exemple), et la description, le cas échéant, de vos symptômes physiques.

Trois diagnostics de base sont généralement rendus par les thérapeutes nutritionnels : l'allergie (ou l'intolérance), les carences nutritionnelles (souvent infracliniques) et les intoxications.

Certains praticiens conseillent une analyse des cheveux, des urines, de la transpiration, des tests musculaires, associée, parfois, à un questionnaire approfondi pour déterminer les carences nutritionnelles particulières. D'autres axent leurs recherches sur les symptômes physiques. Un régime adapté vous sera prescrit. L'exercice physique ainsi qu'un traitement à base de plantes peuvent également être proposés. Le praticien peut vous orienter vers un autre spécialiste ou vers un thérapeute conventionné. Le nombre de séances dépend des réactions de votre organisme, de l'ancienneté de la douleur et de la façon dont vous suivez les prescriptions.

CI-DESSUS *Les thérapeutes nutritionnels exercent en dehors du cadre médical traditionnel.*

CI-DESSUS *Les nutritionnistes cliniciens sont des médecins spécialisés dans la nutrition.*

CI-DESSUS *Les diététiciens suivent des formations reconnues par l'État.*

LES SPÉCIALISTES

• Les thérapeutes nutritionnels prescrivent des régimes spéciaux et un large éventail de produits nutritionnels afin d'améliorer ou de réparer les fonctions métaboliques spécifiques qui peuvent être à la source de certains troubles.
Ils ont suivi une formation en biochimie, physiologie, pathologie, nutrition, et connaissent les fondements de la naturothérapie.
Un thérapeute nutritionnel prescrira de nombreux tests et analyses afin de dépister les carences chez leur patient.
• Les diététiciens ont suivi des cours de nutrition reconnus par l'État, et ils utilisent pour leurs traitements et leurs diagnostics la même technique que la médecine traditionnelle.
Les diététiciens ne sont pas des médecins mais ont un diplôme d'études supérieures.
• Les nutritionnistes cliniciens sont des médecins spécialisés dans la nutrition ; les médecins suivent généralement peu de cours sur la nutrition au long de leur cursus. La nutrition clinique est maintenant considérée comme thérapie de soutien.

CI-DESSOUS *Certains thérapeutes en nutrition peuvent prescrire des remèdes à base de plantes combinés à des compléments alimentaires.*

Gérer votre traitement

UNE FOIS QUE VOUS AVEZ DÉCIDÉ DE PRENDRE des compléments nutritionnels, ou de les faire prescrire par un thérapeute, vous aurez besoin de savoir comment les absorber. Certains compléments doivent être pris lors d'un repas, les autres avalés à jeun ; certains se prennent en plusieurs prises, d'autres en une seule. Suivez toujours les prescriptions. Vous devriez voir les résultats au bout de quelques semaines.

LE PAMPLEMOUSSE EST UNE EXCELLENTE SOURCE DE VITA- MINE C ET DE POTASSIUM

LES BANANES CONT NENT BEAUCOUP DE POTASSIUM

LES TOMATES SONT RICHES EN VITAMINE E

LES POMMES SONT UNE BONNE SOURCE DE VITAMINE C ET DE FIBRES

LE CITRON EST RICHE EN VITAMINE C

LES CAROTTES CONSTITUENT UNE BONNE SOURCE DE BÊTA-CAROTÈN

CI-DESSUS *N'abusez pas des fruits et des légumes si vous prenez en plus un bon complément alimentaire.*

Il est indispensable de suivre les recommandations de votre thérapeute. Certains compléments se prennent à jeun, d'autres seront mieux assimilés par l'organisme lorsqu'ils sont avalés lors d'un repas. Tout traitement dépend des besoins de chacun, et ce qui fonctionne pour une personne peut ne pas être adapté à une autre.

Il est vivement recommandé de toujours suivre les doses prescrites par un médecin ou indiquées dans la posologie.

Nous vous recommandons de manger autant d'aliments sains que possible car ils vous apportent tout ce dont vous avez besoin en nutriments, mais la réciproque n'est pas vrai pour les compléments nutritionnels.

Il n'est pas conseillé d'en absorber plus que nécessaire, au contraire, un surdosage pourrait menacer l'équilibre de votre organisme, et il en résulterait d'autres carences. Il faut donc être vigilant sur le dosage et la période du traitement (ne pas excéder deux à trois semaines). Lorsque vous vous sentirez mieux, votre profil aura changé et vos besoins seront de nouveau différents.

ASSOCIER LES COMPLÉMENTS À D'AUTRES FORMES DE THÉRAPIES

Les vitamines, les minéraux et les autres éléments nutritionnels constituent nos aliments par essence, il n'est donc pas contre-indiqué de les associer à d'autres médicaments ou compléments alimentaires. De fait, la plupart des thérapies complémentaires sérieuses offrent des conseils en nutrition : un régime alimentaire équilibré est fondamental au bien-être. Certaines thérapies, comme la phytothérapie, se servent d'herbes et de plantes dans un but nutritionnel et médicinal. N'hésitez pas à informer votre médecin de tout apport complémentaire car vous pourriez être en surdosage. Votre praticien sera également plus à même de vous conseiller.

LAPS DE TEMPS NÉCESSAIRE AVANT QUE LE TRAITEMENT SOIT EFFICACE

Les carences marginales seront comblées rapidement et les effets seront sensibles au bout de quelques semaines. Vous ne devriez pas avoir besoin de prendre des compléments ou des vitamines et des minéraux en fortes doses au-delà de quelques mois. Cependant, dans certains cas, selon votre mode de vie, vos habitudes alimentaires, la chimie de votre organisme et votre métabolisme peuvent influer sur vos besoins en nutriments. Par exemple, si vous

CI-DESSUS *Stimulez votre apport en vitamine C en mangeant des agrumes, surtout si vous fumez et que vous êtes stressé.*

CI-DESSOUS *Les fumeurs ont besoin d'un apport supplémentaire en vitamines C et B-complexes, et en antioxydants.*

fumez, vous aurez davantage besoin de vitamines C et B-complexes, ainsi que d'antioxydants. Si vous avez des problèmes intestinaux, vous aurez sans doute besoin de prendre des

compléments jusqu'à votre rétablissement. Certaines personnes souffrant de problèmes chroniques doivent suivre différents traitements en cure et parfois à vie. Plus généralement, vous devriez observer des résultats au bout de deux à trois semaines. Sinon, cela signifie que votre traitement ne sert à rien.

Les gouvernements ont édicté les grandes lignes des quantités de vitamines et minéraux dont notre organisme a besoin au quotidien. Ces quotas de prises adéquates ne suivent pas les nouvelles théories sur la nutrition pour une santé optimale et une espérance de vie allongée.

En d'autres termes, il n'existe pas de niveaux thérapeutiques, tout est fonction de chaque individu.

CI-DESSUS *Si vous menez une existence stressante, vous avez certainement besoin de davantage de vitamines que la moyenne conseillée.*

Vitamines & minéraux

LES VITAMINES SONT DES COMPOSÉS *dont le corps a besoin en petite quantité pour se développer et fonctionner correctement. Avec les enzymes et d'autres composés, elles produisent de l'énergie, construisent les tissus, éliminent les toxines, s'assurent que chaque système fonctionne correctement. Les minéraux sont des métaux et autres composés non organiques qui agissent un peu de la même façon : ils renforcent les processus de l'organisme, les dents et les os. Ils sont classés en deux groupes. Les minéraux majeurs doivent être présents dans le corps en quantité importante (plus de 100 mg par jour) : calcium, phosphore, potassium, sodium et soufre. Pour les minéraux dits mineurs, ou oligo-éléments, la dose quotidienne conseillée se limite à moins de 100 mg : chrome, zinc, sélénium, silicone, bore, cuivre, manganèse, molybdène et vanadium. À quelques exceptions près (comme pour la vitamine D, synthétisée par notre organisme), les nutriments essentiels ne sont pas produits par notre corps : nous les trouvons dans l'alimentation et les compléments. Ces dernières décennies, les vitamines et les minéraux ont été enrichis par d'autres compléments dont la plupart agissent comme les vitamines : il s'agit du coenzyme Q10, des acides gras essentiels, des acides aminés et des plantes. Les plantes, médicinales ou non, sont traditionnellement à la base de la médecine. De nos jours, elles sont couramment utilisées par les laboratoires pharmaceutiques comme ingrédient actif dans de nombreuses prescriptions et proposées en tant que « médicaments » naturels en présentoirs. Les plantes et les herbes, outre le fait d'apporter des compléments alimentaires, ont également de grandes propriétés thérapeutiques qui agissent en tant que régulateurs de la santé. Elles combattent les infections et certains troubles, réduisent les dommages occasionnés par les radicaux libres (voir pages 18 et 19) et améliorent l'action des divers systèmes nerveux dans l'organisme, dont les systèmes immunitaire, nerveux et mental, sanguin, respiratoire, reproductif, hormonal et enfin les systèmes urinaire et digestif. Consultez votre médecin avant de consommer des vitamines et des minéraux en fortes doses.*

CI-DESSUS *Les fruits et légumes frais biologiques sont riches en vitamines et minéraux.*

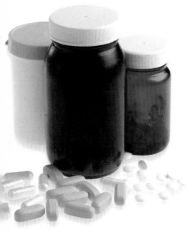

CI-DESSUS *Les nutriments dont votre organisme a besoin peuvent être absorbés sous forme de compléments.*

CI-CONTRE *Il existe maintenant un large éventail de plantes médicinales, comme le ginkgo biloba, disponibles sur le marché.*

Comment lire ce chapitre

Les pages suivantes présentent les principaux minéraux et vitamines avec la liste de leurs sources naturelles. Les symptômes de carences, les fonctions de chaque complément y sont décrits, ainsi que l'action dans l'organisme de chacun des minéraux et vitamines.

Cette section inclut les détails des éléments bénéfiques naturellement existants.

De nombreuses illustrations et des photographies en couleur apportent toutes les explications nécessaires à la bonne compréhension du sujet.

Des vignettes d'avertissement mettent en garde contre les effets secondaires qui peuvent se produire chez certaines personnes.

CI-DESSUS **Tout au long de cette section, les compléments alimentaires – sources, propriétés, fonctions et dosages – sont clairement présentés aux lecteurs.**

LES APPORTS RECOMMANDÉS

En France, le CNERNA (Comité national de coordination des études et recherches sur la nutrition et l'alimentation) a défini un ANC ou Apport Nutritionnel Recommandé.

Mais ce ne sont que des estimations ; les besoins spécifiques dépendent toujours de facteurs individuels, comme le contexte environnemental, la génétique et l'absence ou la présence de processus de maladies.

Aux États-Unis, le Bureau de l'alimentation et de la nutrition, ouvert depuis 1940, détermine les besoins réels en vitamines et en minéraux. Il publie régulièrement un rapport qui liste les Apports diététiques recommandés (ADR) en vitamines et autres nutriments.

Vitamine A

RÉTINOL ET BÊTA-CAROTÈNE

Le rétinol est la forme naturelle de la vitamine A ; on le trouve principalement dans les produits d'origine animale. Le bêta-carotène, aussi appelé vitamine A «plante», est en réalité un caroténoïde transformé en vitamine A par le foie. Le bêta-carotène, présent dans les fruits et les légumes très colorés, serait moins nocif que le rétinol qui est soluble dans les graisses.

CI-CONTRE *Les abricots constituent une bonne source de bêta-carotène et peuvent contribuer à renforcer notre immunité.*

REMARQUES

❖ Le rétinol absorbé à trop forte dose peut entraîner des maux de tête, des nausées ou des problèmes hépatiques. Les femmes enceintes, ou prévoyant de l'être, ne doivent pas en absorber plus de 7 500 ui par jour sous peine de mettre en danger leur enfant. Il leur est également conseillé d'éviter les abats.

❖ Le bêta-carotène, un caroténoïde, est converti en vitamine A par l'action du foie, il est alors plus connu sous le nom de provitamine A.
❖ Les caroténoïdes sont des pigments qui donnent aux plantes leur couleur, et le bêta-carotène est un excellent antioxydant.

QUELQUES DONNÉES (ANC: de 400 à 1 200 mcg)

La vitamine A est une vitamine soluble dans la graisse. Sa forme naturelle est connue sous le nom de rétinol. Essentiellement présent dans les produits animaux, il sera mieux métabolisé par l'organisme associé à de la graisse, de l'huile ou bien d'autres protéines (au cours du même repas). La vitamine A emmagasinée dans l'organisme peut s'épuiser à la suite d'une infection, c'est pourquoi on peut augmenter les prises pendant un rhume, une grippe et autres infections virales ou bactériologiques.

- Renforce l'immunité.
- Participe à la prévention des cancers.
- Retarde l'effet du vieillissement.
- Est nécessaire pour une bonne vue, la synthèse des protéines ainsi qu'aux muqueuses, et au développement des tissus.

Les symptômes de carence
Mauvaise vue (cécité nocturne), ulcères buccaux, infections fréquentes, pellicules et acné.

Les bonnes sources
De rétinol : foie, huiles de foie de poisson, fromage, beurre. De bêta-carotène : carottes, abricots, cantaloup, persil, épinards, chou frisé et patates douces.

Les indications thérapeutiques
Acné, psoriasis, problèmes de vue, prévention des rhumes et grippes, ulcères gastriques.

CI-DESSOUS *Les carences peuvent apparaître si votre potentiel en vitamine A est épuisé.*

POSOLOGIE

Le rétinol peut être absorbé sous forme de gélules contenant de l'huile ou du liquide de foie de poisson. 10 000 ui par jour sont suffisantes. Vous pouvez aller jusqu'à 25 000 ui, sur prescription médicale.

VOTRE CUIR CHEVELU S'ASSÈCHE

DE L'ACNÉ PEUT APPARAÎTRE

VOUS POUVEZ SOUFFRIR DE CÉCITÉ NOCTURNE

Vitamine B1

THIAMINE

Soluble dans l'eau, la vitamine B1 ou thiamine n'est pas stockée dans le corps. Élément du groupe B, indispensable au bon fonctionnement du système nerveux, elle s'altère rapidement au contact de l'air, de l'eau, de la caféine, de l'alcool, des œstrogènes et des adjuvants alimentaires. Les aliments frais et complets sont les meilleures sources pour cette vitamine majeure. Prises ensemble, les vitamines du groupe B sont plus efficaces.

POSOLOGIE

50 mg sont généralement suffisants mais le praticien peut prescrire des doses plus fortes dans le cadre d'une thérapie. Les meilleurs compléments sont ceux contenant toutes les vitamines B.

CI-DESSUS *La vitamine B1 peut être détruite par les boissons qui contiennent de la caféine.*

CI-DESSOUS
Assurez-vous toujours que vos aliments sont riches en thiamine (flocons d'avoine).

QUELQUES DONNÉES (ANC: de 0,4 à 1,8 mg)

Comme toutes les vitamines du groupe, la thiamine est soluble dans l'eau, l'organisme ne la stocke donc pas. La thiamine est également la moins stable des vitamines, et la cuisson, par exemple, peut entraîner des pertes massives. La caféine, l'alcool, l'air, l'eau, les œstrogènes, les sulfamides et les adjuvants alimentaires sont des facteurs antithiaminiques. Cette vitamine est surnommée la « vitamine du moral » par ses effets positifs sur notre mental et sur le système nerveux en règle générale.

- Nécessaire à la production d'énergie, l'activité intellectuelle, aux muscles, au cœur et au système nerveux.
- Indispensable à la transformation des hydrates de carbone en énergie.
- Bon effet sur le moral.
- Favorise la croissance.

Les symptômes de carence
La carence la plus répandue, le béribéri, peut être longue à compenser lorsqu'elle est importante, même si le régime alimentaire est corrigé.

Les bonnes sources
Levure alimentaire, haricots, aliments complets, flocons d'avoine, porc, légumes, lait, riz complet.

Les indications thérapeutiques
Douleurs postopératoires, traitement de l'herpès, zona, épilepsie, névralgies du trijumeau et neuropathies sensitives dans le diabète.

REMARQUES

❖ La B1 n'est pas toxique quel que soit son dosage.
❖ Les aliments portant la mention « enrichi en thiamine » contiennent généralement moins de B1 que la normale : le processus de raffinement qu'ils subissent entraînent une altération de la thiamine, la quantité ajoutée ne comblant pas celle qui a été détruite.
❖ Les vitamines B sont synergiques, c'est-à-dire qu'elles fonctionnent ensemble. Absorbez les vitamines B1, B2 et B6 en quantité équivalente.
❖ Réduire sa consommation en acide folique, manger du poisson cru, des myrtilles et du chou rouge en grande quantité empêche une carence en thiamine.
❖ Le tabac, l'alcool, les contraceptifs oraux et un régime élevé en sucre accroîtront les besoins en vitamine B1.

Vitamine B2

RIBOFLAVINE

Durant des périodes de stress émotionnel ou physique, nos besoins en riboflavine, ou vitamine B2, augmentent ; vous aurez besoin d'accroître vos prises. Comme les autres vitamines B, la riboflavine, soluble dans l'eau, se détériore au contact de substances comme la caféine, l'alcool, les œstrogènes et, dans ce cas particulier, le zinc.

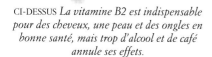

CI-DESSUS *La vitamine B2 est indispensable pour des cheveux, une peau et des ongles en bonne santé, mais trop d'alcool et de café annule ses effets.*

POSOLOGIE

50 mg suffisent généralement, mais votre généraliste peut augmenter les doses pour raisons thérapeutiques. Les meilleurs compléments associent l'ensemble des vitamines B entre elles.

QUELQUES DONNÉES (ANC : de 0,6 à 1,8 mg)

La vitamine B2, ou riboflavine, est soluble dans l'eau et très facilement assimilée par l'organisme. Elle est moins volatile que la thiamine bien qu'un excès de zinc, d'antibiotiques, d'œstrogènes, de caféine et d'alcool puissent la détruire, ainsi que la lumière du soleil ; c'est la raison pour laquelle les briques de lait sont en matériaux opaques.

- Favorise la croissance.
- Favorise une peau saine, des cheveux et des ongles en bonne santé.
- Indispensable pour le métabolisme des graisses, des protéines et des hydrates de carbone.
- Indispensable à la reproduction.
- Active l'effet de la vitamine B6.
- Transforme les hydrates de carbone en énergie.

Les symptômes de carence
Bouche, lèvres et langue douloureuses, insomnies, photosensibilité, yeux injectés de sang, peau rouge rugueuse sur les ailes du nez. Le stress accroît les besoins en riboflavine.

Les bonnes sources
Lait, foie, œufs, viande, légumes verts à feuilles, levure, poissons, céréales complètes.

Les indications thérapeutiques
Certaines insomnies, cataractes, peau abîmée, problèmes de vue (surtout fatigue visuelle), acné rosacée et autres problèmes dermatologiques, syndrome du canal carpien.

CI-CONTRE *Si vous consommez régulièrement des laitages, votre apport en vitamine B2 est suffisant.*

REMARQUES

❖ La riboflavine n'est pas toxique. Cependant, une trop grande ingestion peut entraîner des symptômes comme une certaine torpeur, des picotements et des sensations de brûlure.

❖ Vos besoins grandiront si vous êtes enceinte, si vous prenez la pilule, si vous allaitez ou si vous suivez un régime pauvre en viande ou en produits laitiers.

❖ Comme la thiamine, la riboflavine exige d'autres vitamines B pour une meilleure efficacité.

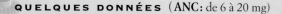

Vitamine B3

NIACINE

Le troisième élément des vitamines du groupe B est la niacine, appelée B3. Vitale pour nos fonctions cérébrales normales : une carence en B3 est associée à la schizophrénie et aux dépressions. D'autres, moins importantes, peuvent entraîner des insomnies, de la fatigue et, entre autres, des ulcères buccaux. Cette vitamine améliore la peau, la circulation et le système digestif. 100 mg par jour suffisent, sauf prescription médicale contraire.

QUELQUES DONNÉES (ANC: de 6 à 20 mg)

La niacine, vitamine soluble dans l'eau, est essentielle aux fonctions du cerveau. Dans de nombreux cas, on a pu associer des états dépressifs et schizophréniques à une carence en niacine. Les femmes en âge de procréer devront sans doute absorber davantage de niacine, car les œstrogènes inhibent la transformation du tryptophane en vitamine B3. Si vous souffrez de carences en vitamines B, vous ne pouvez pas produire de niacine à partir du tryptophane.

- Indispensable à la cortisone, à la thyroxine, à l'insuline et à la synthèse des hormones sexuelles.
- Améliore la circulation.
- La peau, les nerfs, le cerveau et le système digestif.
- Transforme les hydrates de carbone en énergie.

Les symptômes de carence
Insomnies, fatigue chronique, manque d'appétit, problèmes digestifs, faiblesse musculaire, irritabilité, problèmes dermatologiques, bouche sèche et problèmes psychiatriques.

Les bonnes sources
Foie, viandes maigres, céréales, cacahuètes, poissons, œufs, avocats, graines de tournesol, pruneaux.

Les indications thérapeutiques
Règles irrégulières, problèmes de peau, migraines, problèmes de circulation sanguine, hypertension, vertiges dans le cadre du syndrome de Ménière, ulcères buccaux, cholestérol élevé, acouphène, diabète et asthme.

REMARQUES

❖ L'alcool inhibe le métabolisme de la niacine. Les somnifères, les œstrogènes et les procédés de raffinage successifs la détruisent.
❖ Elle est essentiellement non toxique, mais des doses dépassant 100 mg peuvent provoquer la «rougeur de la niacine», (sensations de brûlures et de picotements cutanés). Selon certaines études, des doses excédant 500 mg peuvent provoquer des problèmes hépatiques graves.
❖ La «rougeur de la niacine» peut s'aggraver si vous prenez des antibiotiques.
❖ La niacine est disponible sous deux formes : la niacine ou acide nicotinique, et la niacinamide ou nictinamide.

CI-DESSOUS L'avocat, excellente source en vitamine B3, vous évitera une éventuelle carence.

POSOLOGIE

Absorbez un bon complément de B-complexes et augmentez les doses si vous êtes enceinte, si vous allaitez, si vous êtes sous contraceptif oral ou si vous êtes en âge de procréer. La posologie recommandée est de 100 mg, mais votre médecin peut l'augmenter si nécessaire.

CI-DESSOUS Manger des graines de tournesol et des pruneaux augmentera votre taux en vitamine B3.

Vitamine B5

ACIDE PANTOTHÉNIQUE

L'acide pantothénique ou vitamine B5 appartient au groupe B. C'est l'une des meilleures vitamines. Comme la riboflavine, elle peut être très utile en période de stress. Parce qu'elle est essentielle, dans nos régimes alimentaires, à la transformation des hydrates de carbone en énergie, une infime carence de B5 peut entraîner un état de fatigue.

QUELQUES DONNÉES (ANC: de 3 à 10 mg)

L'acide pantothénique est soluble dans l'eau. Vitamine antistress, elle agit sur la glande produisant l'adrénaline. Le conditionnement alimentaire, les raffinages, la caféine, les sulfamides, les somnifères, les œstrogènes et l'alcool réduisent sensiblement l'effet de la vitamine B5.

CI-DESSOUS *La vitamine B5 participe à la prévention des maladies liées au stress en produisant des hormones antistress.*

LA B5 SOIGNE LA DÉPRESSION

LA FATIGUE PEUT ÊTRE DUE À UNE DÉFICIENCE EN B5

UN MANQUE EN B5 PEUT ÊTRE À L'ORIGINE DE PROBLÈMES CUTANÉS

- Produit des hormones antistress.
- Renforce le système nerveux.
- Aide à cicatriser.
- Aide à fabriquer les cellules, à maintenir une croissance normale et à développer le système nerveux central.
- Nécessaire au bon fonctionnement de la glande surrénale.
- Essentielle à la conversion des hydrates de carbone en énergie.
- Nécessaire à la synthèse des anticorps.

Les symptômes de carences
Ulcères du duodénum, troubles sanguins et dermatologiques, fatigue, perte d'appétit, mauvaise coordination, faiblesse, hypoglycémie et sensations de brûlure dans les pieds.

Les bonnes sources
Viande, céréales, son de blé, foie, œufs, noisettes, levures, légumes verts.

Les indications thérapeutiques
Réactions allergiques, stress, traumatisme, choc postopératoire et convalescence, fatigue chronique, mauvaise cicatrisation, rhumatismes, arthrite, certaines amnésies et troubles immunitaires.

La fatigue est un signe de carence
La vitamine B5 soigne les dépressions et les problèmes dermatologiques.

POSOLOGIE

500 mg par jour en cas de problèmes immunitaires ou arthritiques (associées à une dose équivalente en vitamine C). La vitamine B5 est normalement présente dans les formules de B-complexes (à raison de 10 à 100 mg). Un apport quotidien de 300 mg, puisé dans les aliments ou les compléments alimentaires, est recommandé.

CI-DESSOUS *Les différents procédés de conditionnemen tuent la vitamine B5. Donc, vous avez une déficience en acide pantothénique, évitez les aliments en conser*

REMARQUES

❖ La vitamine B5 est l'une des vitamines les plus sûres ; on ne lui connaît pas d'effets indésirables.

❖ Prendre une forte dose d'acide pantothénique peut aider à prévenir les maladies liées au stress.

Vitamine B6

PYRIDOXINE

Les carences en pyridoxine, ou vitamine B6,
se manifestent surtout chez les consommateurs
de plats cuisinés et d'aliments de piètre qualité.
Les différents raffinages détruisant près de 90 %
des vitamines B6 contenues naturellement
dans les aliments, il est nécessaire de manger
des aliments frais. De nombreux syndromes
prémenstruels sont liés à de petites carences
en B6.

POSOLOGIE

À associer
à d'autres vitamines du
groupe B
(B1 ou B2) jusqu'à
200 mg par jour.
Ne pas dépasser
500 mg par jour.

CI-DESSUS *Afin d'augmenter*
votre apport en vitamine B6,
mangez des bananes.

REMARQUES

❖ Les malades souffrant d'arthrite qui prennent de la pénicillamine auront besoin de compléments en vitamine B6.
❖ Les boîtes de conserve, les viandes rôties, la chaleur, l'eau, l'alcool et les œstrogènes détruisent la vitamine B6.

❖ Les personnes sous levodopa, contre la maladie de Parkinson, ne devraient pas prendre de vitamine B6.
❖ Dépasser des doses de 2 à 10 g peut causer des troubles neurologiques sévères.

QUELQUES DONNÉES (ANC: de 0,6 à 2,5 mg)

La vitamine B6 étant soluble dans l'eau, tout excès est normalement excrété par l'organisme environ huit heures après l'ingestion. Pour cette raison, et parce que 90 % de la vitamine sont détruits durant les différentes étapes de la chaîne alimentaire, les carences sont communes. La vitamine B6 est également connue sous le nom de pyridoxine, pyridoxinal et pyridoxamine, toutes ces substances étant quasi équivalentes. La pyridoxine est la forme la plus utilisée de la vitamine B6. Les femmes suivant une thérapie hormonale de remplacement, ou celles prenant la pilule, en ont un besoin accru. De même pour les personnes qui absorbent trop de protéines ou qui consomment trop d'alcool.

- Nécessaire à la production d'acide chlorhydrique et de magnésium.
- Nécessaire à l'absorption de la vitamine B 12.
- Nécessaire à la production des anticorps et des globules rouges.
- Métabolise les protéines, les hydrates de carbone et les graisses.
- Aide à métaboliser et transporter le sélénium.
- Diurétique naturel.
- Aide à absorber le zinc.
- Soulage les nausées.
- Facilite la synthèse des acides nucléiques.

Les symptômes de carence
Anémie, insomnie, calculs rénaux, nausées matinales, syndrome prémenstruel, picotements et rougeurs de la peau, nervosité, convulsions du nouveau-né.

Les bonnes sources
Avocats, bananes, poisson, son d'avoine, foie, cantaloup, chou, lait, œufs, graines.

Les indications thérapeutiques
Spasmes musculaires nocturnes, crampes dans les jambes, faiblesses dans les mains, troubles de la peau et des nerfs, résistance à l'insuline, syndromes prémenstruels, syndrome du canal carpien dans la maladie de Parkinson, asthme, calculs rénaux, anémie, rétention de fluides, autisme, maladies cardiovasculaires.

CI-CONTRE *L'alcool*
détruit la vitamine
B6, surveillez votre
consommation.

Acide folique

VITAMINE BC

L'acide folique, vitamine du groupe B, est aussi connu sous le nom de vitamine BC ou B9. Nous savons maintenant qu'il est primordial au développement du fœtus, et les spécialistes recommandent d'en absorber lors de la grossesse afin de réduire les risques de malformations fœtales. Il est facilement détruit par la cuisson et l'exposition à l'air. Si vous buvez beaucoup, vous aurez besoin d'augmenter vos prises quotidiennes.

CI-CONTRE *Si vous souffrez de troubles nerveux, assurez-vous que vos aliments contiennent bien des acides foliques (le melon par exemple).*

REMARQUES

❖ Il est recommandé aux femmes enceintes d'en prendre 400 mcg par jour ; au-delà, suivre les prescriptions médicales. Ceci peut entraîner des problèmes lors de l'absorption de zinc.

❖ Augmentez vos prises si vous buvez beaucoup, quand vous combattez une maladie, ou si votre système immunitaire est déficient.

❖ Augmentez les doses si vous prenez déjà plus de 2 g de vitamine C par jour.

❖ L'acide folique n'est pas toxique, cependant, pris en doses élevées (plus de 2 000 mcg), il peut provoquer des irritations cutanées.

POSOLOGIE

La plupart des personnes n'ont besoin que de 400 à 800 mcg par jour, même si le médecin peut en prescrire jusqu'à 5 mg dans certains cas. Les comprimés du groupe B ne contiennent généralement pas suffisamment d'acide folique ; si votre régime alimentaire ne vous apporte pas la dose minimale, vous devrez le prendre en complément.

QUELQUES DONNÉES (ANC: de 50 à 500 mcg)

L'acide folique est soluble dans l'eau. Récemment, l'acide folique a été identifié comme essentiel au développement du fœtus et, pris avant et pendant la grossesse, il prévient le spina-bifida. Il est facilement détruit par la cuisson et le mode de préparation des aliments ; de plus, il est sensible à la lumière. Si vous prenez la pilule, des médicaments contre l'épilepsie, des alcalins, trop d'alcool ou d'aspirine, ou si vous avez des carences en zinc ou vitamine B12, augmentez votre apport en acide folique.

- Essentiel à la division des cellules.
- Nécessaire à l'utilisation du sucre et des acides aminés, surtout la glycine et la méthionine.
- L'acide folique est indispensable à la production des acides nucléiques.
- Nécessaire à la formation des globules rouges.

Les symptômes de carence
Problèmes nerveux, troubles de la mémoire, mauvaise lactation durant un allaitement naturel, insomnie, immunité réduite, fausses couches récurrentes, essoufflement, anorexie, fatigue, problèmes digestifs, risques accrus de cancer et de maladies cardiaques, problèmes à la naissance dont le spina-bifida.

Les bonnes sources
Légumes verts feuillus, carottes, foie, œufs, jaunes d'œufs, abricots, avocats, haricots, céréales, melons, oranges fraîches.

Les indications thérapeutiques
Certaines anémies, anomalies du col de l'utérus, problèmes immunitaires, empoisonnement et parasites alimentaires, dépression, problèmes dermatologiques, convalescence, ulcères buccaux, douleur (action analgésique).

CI-CONTRE *Assurez-vous de consommer suffisamment d'acide folique avant et pendant la grossesse afin d'éviter à votre futur enfant d'être atteint du spina-bifida.*

Vitamine B12

COBALAMINE

La vitamine B12, ou cobalamine, vitamine du groupe B, se trouve naturellement dans le lait et le fromage par exemple. Le calcium lui permet une bonne assimilation. Une carence peut entraîner une anémie. Notre organisme en réclame très peu, mais l'absorption de vitamine B12 est souvent mal gérée et les végétariens, surtout, ont besoin de compléments. Comme la vitamine B1, la B12 est reconnue pour ses effets sur le bien-être général, par son influence sur le système nerveux.

QUELQUES DONNÉES (ANC: de 1 à 4 mcg)

La vitamine B12, aussi appelée cobalamine et cyanocobalamine, est connue comme étant la « vitamine rouge ». Soluble dans l'eau, elle se trouve uniquement dans les produits d'origine animale, bien que certains aliments végétariens en soient maintenant enrichis. Elle est la seule vitamine riche en minéraux essentiels, et nos besoins sont relativement peu élevés. Cependant, elle s'assimile mal ingérée par voie buccale et doit être associée à du calcium. Dans de nombreux cas, l'injection est la meilleure solution, particulièrement pour les personnes ayant une absorption difficile.

- Forme et régénère les globules rouges.
- Essentielle au système nerveux.
- Essentielle à la croissance et au développement.
  - Nécessaire pour utiliser les graisses, hydrates de carbone et protéines.
- Améliore la concentration, la mémoire et l'équilibre.
- Désintoxique le cyanide des aliments et la fumée du tabac.

Les symptômes de carence
Anémie, fatigue, maladie cardiaque, dommages causés au cerveau, aux nerfs, langue sèche et hallucinations.

Les bonnes sources
Foie, bœuf, fromage, lait, rognons, yaourts, œufs.

Les indications thérapeutiques
Problèmes d'appétit, convalescence, fatigues et douleurs chroniques, confusion et démence, acouphène, sclérose en plaques, irritabilité.

REMARQUES

❖ La lumière du jour, l'eau, l'alcool, les œstrogènes et les somnifères sont des « ennemis » de la vitamine B12.

❖ Il est conseillé de prendre des comprimés à effet différé car la vitamine B12 circule difficilement dans l'organisme ; ce qui lui permet par ailleurs d'être diffusée dans l'intestin grêle.

❖ Les symptômes de carences en vitamine B12 peuvent mettre cinq ans avant de se manifester.

❖ Les diarrhées chroniques, les parasites intestinaux ou autres troubles digestifs peuvent empêcher l'absorption de vitamine B12, et les carences sont fréquentes chez les personnes âgées.

❖ On ne connaît pas de réaction toxique à la vitamine B12, peu importe le dosage.

❖ La vitamine B12 calme parfois les syndromes prémenstruels féminins.

❖ Paradoxalement, les régimes riches en protéines peuvent demander plus de vitamine B12 : plus on ingère de vitamine B12, moins cette dernière est facilement assimilée.

CI-DESSOUS *Les produits d'origine animale sont naturellement riches en B12, (comme le foie).*

POSOLOGIE

Les compléments dosés entre 50 et 2 000 mcg sont sans risque : les généralistes les prescrivent souvent sous forme d'injection. Les doses quotidiennes oscillent entre 10 et 100 mcg et devraient être associées avec les vitamines C, E et A ainsi que les autres vitamines du groupe B.

Vitamine C

ACIDE ASCORBIQUE

La vitamine C, l'une des principales vitamines du système immunitaire, est également essentielle à la santé de l'ensemble des tissus de notre organisme. Elle est soluble dans l'eau, ce qui signifie que notre corps ne peut pas la stocker. À nous de faire en sorte de ne pas en manquer au quotidien. Le meilleur moyen de s'en assurer est de consommer fruits et légumes frais aussi souvent que possible.

QUELQUES DONNÉES (ANC: de 35 à 100 mg)

La vitamine C, soluble dans l'eau, est très importante pour notre système immunitaire. Les êtres humains, les singes et les cobayes sont les seuls mammifères à ne pas synthétiser la vitamine C; nous devons donc puiser la quantité nécessaire dans nos aliments. Tout excédent, cependant, est rapidement éliminé. De plus, la cuisson des aliments leur fait perdre une grande partie de leur vitamine C; même chose si on les conserve trop longtemps ou s'ils sont exposés à l'air (après les avoir coupés par exemple). Afin d'être certain d'en absorber la bonne quantité, il faut manger au moins 4 à 5 portions de légumes ou de fruits frais, légèrement cuits à la vapeur, voire crus, chaque jour. L'alcool, l'aspirine, le tabac, le stress, les infections et la pilule contraceptive accroissent les besoins en vitamine C. Ceux qui boivent ou fument au-delà de la normale devront absorber 400 mg par jour au-dessus des besoins recommandés.

- Nécessaires à l'assimilation du fer.
- Antioxydant.
- Encourage la production d'hormones de stress.
- Aide à cicatriser.
- Indispensable au squelette et à des tissus sains.
- Indispensable à la croissance et à l'entretien des vaisseaux sanguins, des cellules, des gencives, des os, des dents.

Les symptômes de carence

Saignements, gencives douloureuses et dents branlantes, fatigue, activité immunitaire déficiente, hématomes, hypoglycémie, problèmes sanguins et dermatologiques.

Les bonnes sources

Agrumes, tomates, pommes de terre, légumes verts, choux, poivron rouge.

Les indications thérapeutiques

Guérit des blessures et brûlures, réduit le cholestérol, traite l'asthme, prévient et guérit des rhumes et autres maladies infectieuses, traite et aurait guéri certaines formes de cancer, stimule l'activité immunitaire, réduit les risques de caillots sanguins dans les veines, les effets de nombreux allergènes, la cyclothymie, les problèmes de sucre dans le sang, les intoxications, le vieillissement, les maladies dégénératives.

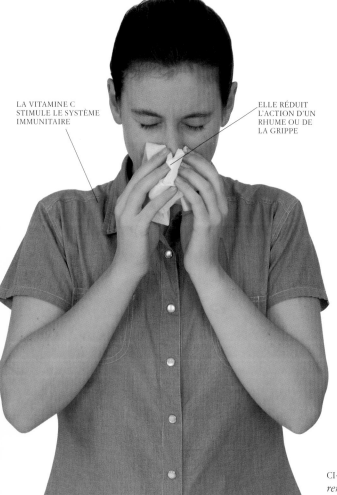

LA VITAMINE C STIMULE LE SYSTÈME IMMUNITAIRE

ELLE RÉDUIT L'ACTION D'UN RHUME OU DE LA GRIPPE

CI-CONTRE *La vitamine C renforce le système immunitaire et peut prévenir les rhumes et les autres maladies infectieuses.*

CHOU

POIVRON ROUGE

POIVRON VERT

CHOUX DE BRUXELLES

CHOU-FLEUR

BROCOLI

CI-CONTRE *Le brocoli, les légumes verts feuillus, le poivron vert et les choux de Bruxelles constituent d'excellentes sources de vitamine C.*

REMARQUES

❖ La vitamine C n'est pas toxique, mais une trop forte consommation peut entraîner des diarrhées et des irritations de la peau.

❖ Elle peut modifier les résultats d'analyses de sang et d'urines, dont celles prescrites pour le diabète. Informez votre généraliste si vous prenez des compléments en vitamine C.

❖ Elle est encore plus efficace en association avec des bioflavonoïdes (*voir page 85*), le calcium, et le magnésium.

❖ Le monoxyde de carbone détruit la vitamine C, c'est l'une des raisons pour lesquelles les habitants des zones polluées devraient augmenter leurs prises en vitamine C.

❖ Si vous prenez la pilule contraceptive, ne consommez pas plus de 1 g de vitamine C par jour, car les œstrogènes et la vitamine C suivent le même processus d'élimination.

❖ Une prise trop importante peut interférer avec l'absorption d'autres vitamines ou minéraux. Sinon, prenez votre vitamine C entre les repas.

❖ Si vous souhaitez réduire vos prises quotidiennes élevées, faites-le peu à peu pour éviter toute carence.

❖ La vitamine C peut s'absorber sous des formes très variées : poudre, gélules, comprimés, ampoules.

❖ Les poudres sont moins agressives pour le système digestif et évitent les risques de diarrhées par exemple.

❖ Les comprimés à effet différé sont plus efficaces, car la vitamine C diffusée petit à petit est moins vite éliminée.

❖ Des études ont montré qu'il n'était pas dangereux pour les tissus de prendre en continu de fortes doses de vitamine C.

CI-DESSUS *La vitamine C est détruite par le gaz carbonique ; c'est l'une des raisons pour lesquelles les habitants des zones très polluées devraient augmenter leur apport quotidien.*

POSOLOGIE

De nombreux experts préconisent 1 g par jour en mesure préventive : la plupart des aliments que nous consommons en sont privés à cause de leur mode de conservation, de production, etc. Les doses quotidiennes conseillées varient entre 500 mg et 4 g.

CI-CONTRE *Renforcez votre apport quotidien en vitamine C en vous préparant d'excellents cocktails de fruits frais.*

Vitamine E

ALPHA-TOCOPHÉROL

La vitamine E est un antioxydant comportant un large éventail d'indications thérapeutiques. Bien qu'elle soit soluble dans les graisses, le corps la retient difficilement et elle est sensible à tout processus de transformation : la transformation du blé en farine blanche entraîne, par exemple, 90 % de perte. Les fumeurs et les femmes sous contraceptifs oraux ont un besoin accru en vitamine E.

CI-DESSUS *Mangez des légumes verts frais afin d'assurer à votre corps un bon apport en vitamine E.*

POSOLOGIE

On considère que la prise de 200 à 300 ui par jour est suffisante, bien que les fumeurs, les femmes enceintes qui allaitent ou celles qui sont ménopausées, doivent en consommer davantage. Lors d'un usage thérapeutique, on peut augmenter les doses de vitamine E jusqu'à 2 000 ui par jour. Attention : la plupart des généralistes en prescrivent rarement plus de 1 000 ui par jour.

CI-CONTRE *L'utilisation régulière de crèmes hydratantes riches en vitamine E aide à ralentir le processus de vieillissement de la peau.*

QUELQUES DONNÉES (ANC : de 5 à 15 ui)

La vitamine E est une vitamine soluble dans la graisse mais, contrairement aux autres vitamines, presque 70 % de la quantité absorbée est éliminée dans les selles. Elle est stockée dans le foie, les tissus gras, le cœur, les testicules, l'utérus, les muscles, le sang, les glandes surrénales et l'hypophyse. Son nom chimique est l'alpha-tocophérol : le plus actif d'un groupe de huit tocophérols. La vitamine E est souvent recommandée dans le traitement de maladies coronariennes, la dystrophie musculaire, les fausses couches spontanées et la schizophrénie, par exemple. Elle a également été prescrite avec succès dans le traitement et la prévention de certains cancers.

Les besoins en vitamine E sont plus importants chez les fumeurs et les femmes sous contraceptif oral. La chaleur, l'oxygène, la congélation, la préparation des aliments et le chlore (que l'on trouve dans certaines eaux minérales) détruisent la vitamine E. Les aliments congelés contiennent généralement très peu de vitamine E.

- Ralentit le processus de vieillissement.
- Apporte de l'oxygène à l'organisme.
- Antioxydant.
- Protège les poumons de la pollution.
- Aide au développement et à l'entretien des nerfs et des muscles.
- Évite les fausses couches.
- Améliore l'activité immune de l'organisme.
- Fonctionne comme un diurétique naturel.
- A un rôle cicatrisant.
- Favorise la fertilité.
- Réduit les besoins des muscles en oxygène.

Les symptômes de carence

Dégénérescence musculaire, problèmes de reproduction, certaines anémies, taches de vieillesse, cataractes, fragilisation des globules rouges et problèmes neuro-musculaires.

Les bonnes sources

Les germes de blé, graines de soja, huiles végétales, brocolis, légumes verts feuillus, blé complet, œufs, avoine, amandes, beurre, cacahouètes, huile de tournesol.

Les indications thérapeutiques

Apaise les brûlures, ralentit l'évolution de la maladie de Parkinson, réduit les risques de crises cardiaques chez les personnes atteintes de troubles cardio-vasculaires, modère les effets de la pollution, encourage l'action de l'insuline chez les diabétiques, prévient le syndrome prémenstruel, l'ostéo-arthrite, contribue au contrôle des crises d'épilepsie, empêche la gangrène, et les problèmes du système immunitaire, dont les troubles immunes, les kystes mammaires, les problèmes de fertilité, les zonas, certains cancers et, associé au sélénium, les dystrophies musculaires.

CI-CONTRE
*Les compléments
en vitamine E réduisent
les effets nocifs
de la pollution.*

CERTAINS
PROBLÈMES
DE FERTILITÉ
PEUVENT SE
RÉSOUDRE PAR
UN APPORT EN
VITAMINE E

AUGMENTEZ
VOS PRISES EN
VITAMINE E LORS
DE LA GROSSESSE

REMARQUES

❖ La vitamine E n'est absolument pas toxique, on ne lui connaît aucune réaction allergique.

❖ Ne prenez pas de complément si vous êtes sous anticoagulants : la vitamine E remplit aussi cette fonction.

❖ Il se peut que vous subissiez une hypertension passagère lors de la prise des comprimés de vitamine E ; informez votre généraliste si vous souffrez déjà d'hypertension.

❖ Le fer non organique, connu sous le nom de sulfate de fer, détruit la vitamine E ; il faut donc éviter d'en absorber au moins huit heures après une prise de vitamine E.

❖ L'eau chlorée augmente les besoins en vitamine E.

❖ Les femmes ménopausées ont des besoins accrus en vitamine E, de même que les femmes enceintes, qui allaitent ou sont sous contraceptif oral.

❖ Les produits associant 25 mcg de sélénium pour 200 ui de vitamine E augmentent l'efficacité de la vitamine E.

❖ Il existe des gélules (huile) ou des comprimés de vitamine E.

CI-CONTRE *Les femmes
enceintes devraient
augmenter leur prise en
vitamine E pour limiter
les risques de fausses
couches.*

Vitamine D

CALCIFÉROL ET ERGOCALCIFÉROL

La vitamine D est produite par l'organisme grâce à la lumière du soleil. Soluble dans les graisses, elle est stockée dans le corps. Les carences sont rares. La vitamine D permet une bonne assimilation, le métabolisme des minéraux, et en particulier de la vitamine A. Elle est essentielle à la calcification, à une bonne dentition, au fonctionnement rénal. Prise en dose trop élevée, elle peut être toxique.

CI-CONTRE *Si vous êtes sujet aux carences en vitamine D, mangez des poissons gras (tels que la sardine).*

REMARQUES

❖ Les personnes travaillant de nuit ou qui, pour des raisons religieuses, portent des vêtements enveloppants, devront prendre des compléments en vitamine D.
❖ Les habitants des zones polluées doivent augmenter leur consommation en vitamine D.
❖ Les personnes âgées synthétisent plus difficilement la vitamine D.
❖ Son assimilation est facilitée en mangeant des graisses et des huiles durant le repas.

❖ Il est recommandé aux végétariens, surtout ceux qui vivent dans des régions froides, d'en consommer d'avantage pendant l'hiver.
❖ La vitamine D étant une vitamine soluble dans les graisses, une trop forte dose ou des doses trop répétées peuvent devenir toxiques. Les symptômes : nausées, vomissements, dépôts calcaires, pépie anormale, yeux secs, picotements de la peau, problèmes rénaux, artères lésées, battements de cœur irréguliers et hypertension.
❖ Elle se consomme essentiellement sous forme d'huile de foie de morue à absorber sous forme de gélule ou d'huile.

QUELQUES DONNÉES (ANC: de 10 à 15 mcg)

La vitamine D, soluble dans les graisses, est stockée dans l'organisme qui la produit lorsqu'il est exposé à la lumière : le soleil agit sur les huiles de la peau pour produire la vitamine. La pollution peut entraver l'action de la lumière sur l'organisme, et les habitants des zones au taux de pollution atmosphérique élevé ne fabriquent pas assez de vitamine D. Le bronzage rend également sa production moins efficace.

La vitamine D produite dans le corps ou ingérée dans des aliments est appelée « calciférol ». Sa forme synthétique, utilisée souvent comme compléments, s'appelle ergocalciférol. Prise par voie orale, la vitamine D est absorbée avec les graisses et passe dans les intestins.

- Permet l'assimilation du magnésium, du calcium, du zinc, du fer, du phosphore et autres minéraux.
- Participe à la digestion de la vitamine A.
- Indispensable à des dents et à un squelette sains.
- Nécessaire au métabolisme du calcium et du phosphore.
- Nécessaire au fonctionnement rénal.

Les symptômes de carence
Rachitisme chez l'enfant, dents gâtées, ostéoporose et ostéomalacie.

Les bonnes sources
Lait et laitages (surtout le beurre), poissons gras, huiles de foie de poisson.

Les indications thérapeutiques
Maladies dentaire et osseuse, rhumes, certaines formes de psoriasis, fixation du calcium, conjonctivite, migraine.

POSOLOGIE

Une gélule contient environ 400 ui (sous forme d'huile naturelle de foie de poisson), on peut en prendre entre 400 et 1 000 ui par jour. Les doses dépassant 5 000 ui doivent être prescrites par un praticien conventionné. 25 000 ui par jour peuvent entraîner une réaction toxique.

CI-DESSOUS *Le corps humain peut produire de la vitamine D s'il est suffisamment exposé à la lumière du soleil.*

Vitamine K

PHYLLOQUINONE OU MÉNAQUINONE, MÉNADIONE

La vitamine K est une vitamine importante, soluble dans les graisses, ses carences sont rares. L'organisme en stocke peu mais les bactéries saines des intestins en assurent la quantité. Les yaourts, qui encouragent la production de ces bactéries « saines » dans les intestins, constituent une bonne source en vitamine K. Son principal travail est de favoriser la coagulation du sang et d'éviter les saignements de nez répétés.

CI-CONTRE
On prescrit rarement des compléments de vitamine K. Elle se trouve en large quantité dans les aliments comme la tomate.

QUELQUES DONNÉES (ANC: de 300 à 500 mcg)

La vitamine K est primordiale pour que le foie synthétise diverses protéines nécessaires à la coagulation du sang. Au point de vue chimique, la phylloquinone est la plante source de vitamine K, et un dérivatif synthétique, la médianone, est utilisée dans des cas thérapeutiques. Les bactéries intestinales associent une famille de composés à l'activité de la vitamine K: ces composés sont connus sous le nom de ménaquinones.

La vitamine K, soluble dans la graisse, est stockée dans les os et le foie. On l'utilise dans le traitement de carences spécifiques qui se produisent lors d'une thérapie anticoagulante, et dans les cas de maladies hémorragiques chez les nouveau-nés (qui ont un taux très faible de vitamine K puisqu'ils n'ont pas encore d'activités bactériologiques hépatiques).

- Essentiel à la formation de la prothrombine, un coagulant chimique.
- Nécessaire à la calcification et à la minéralisation des os.

Les symptômes de carence
Maladies du côlon, ostéoporose, saignements, hémorragies.

Les bonnes sources
Yaourts (natures), alfalfa, jaunes d'œufs, brocolis, choux de Bruxelles, légumes verts feuillus, thé vert, varech, céréales, foie, tomates, huiles de foie de poisson.

Les indications thérapeutiques
Règles trop abondantes, troubles de coagulation, évite les maladies hémorragiques du nouveau-né.

REMARQUES

❖ Les diarrhées chroniques sont symptômes et causes de carence, étant donné que la vitamine est soluble dans les graisses et que tout problème de digestion des aliments gras empêche son absorption. De même, la prise prolongée d'antibiotiques peut entraver la synthèse bactériologique.
❖ 70 % de la vitamine K alimentaire sont éliminés chaque jour, c'est pourquoi il est recommandé de consommer des aliments riches en cette vitamine.

❖ Les yaourts, qui facilitent la croissance de la flore, sont source de vitamine K. Ils sont recommandés aux personnes carencées.
❖ Augmentez les doses si vous souffrez de saignements de nez.

CI-DESSUS *On injecte souvent aux nouveau-nés de la vitamine K afin d'éviter toute hémorragie.*

POSOLOGIE

On donne rarement de la vitamine K en complément, sauf pour les nouveau-nés qui en reçoivent en injection ou en prises orales à la naissance. La nourriture apporte la quantité nécessaire. Une prise excédant 500 mcg de vitamine K synthétique (ménadione) est fortement déconseillée.

Biotine

COENZYME R OU VITAMINE H

La biotine, la choline et l'inositol (vitamines, ou substances proches des vitamines), sont classées dans la famille des vitamines B. Les carences sont rares. Ces substances peuvent être prescrites dans un but thérapeutique. Par exemple, la biotine est utilisée dans le traitement contre la perte des cheveux et le grisonnement prématuré; la choline participe à la prévention de la maladie d'Alzheimer, et l'inositol est efficace contre l'eczéma et autres problèmes dermatologiques.

CI-CONTRE *La prise de biotine peut enrayer le processus de grisonnement prématuré.*

QUELQUES DONNÉES (ANC: de 50 à 300 mcg)

La biotine, acide complexe organique contenant du soufre, est synthétisée par la flore intestinale. Elle est largement présente dans les aliments. C'est une vitamine soluble dans l'eau, souvent associée aux vitamines du groupe B. La biotine est essentielle à la synthèse des graisses et des protéines par l'organisme.

- Nécessaire au métabolisme des protéines, des hydrates de carbone et des graisses.
- Indispensable à la croissance et à la santé de la peau, des cheveux, des nerfs, des glandes sexuelles et de la moelle épinière.
- Nécessaire au métabolisme de l'énergie.

Les symptômes de carence
Une carence naturelle chez l'humain est exceptionnelle, mais les symptômes incluent la dépression, un eczéma grave, des dermatoses, un épuisement, l'affaiblissement du métabolisme de la graisse, la perte des cheveux, un grisonnement prématuré et l'anorexie.

Les bonnes sources
Viandes, produits laitiers, céréales, foie, jaunes d'œufs, noix, noisettes amandes, riz complet.

Les indications thérapeutiques
Aide à prévenir la chute des cheveux et/ou leur grisonnement prématuré; est préconisée lors de douleurs musculaires, eczéma, autres problèmes dermatologiques et certains diabètes.

REMARQUES

❖ On ne connaît pas d'effets toxiques à la biotine.

❖ Les blancs d'œufs crus empêchent l'assimilation de la biotine.

❖ La prise prolongée d'antibiotiques accroît les besoins en biotine car la flore, nécessaire à la synthèse de la biotine, est alors détruite.

❖ L'alcool, les modes de préparation des aliments, les médicaments à base de soufre et les œstrogènes détruisent la biotine.

❖ La biotine associée aux vitamines B2, B3, B6 et A favorise une peau saine. Ces vitamines devraient toujours être absorbées ensemble, afin d'optimiser leurs effets.

POSOLOGIE

La biotine est présente dans de nombreux compléments de B-complexes et préparations multivitaminées. Sa consommation quotidienne est comprise entre 25 et 300 mcg; une dose de 1 000 mcg peut être prescrite mais sous surveillance médicale.

CI-CONTRE *La viande, dont l'agneau, apporte un complément en biotine intéressant.*

Choline

$C_5H_{15}NO_2$

Inositol

$C_6H_{12}O_6 2H_2O$

- Peut être synthétisée par l'organisme à condition que la prise de l'acide aminé méthionine soit suffisante.
- Aide le foie à éliminer des graisses.
- Contribue à renforcer la mémoire.
- Aide l'impulsion nerveuse, surtout au niveau des nerfs qui stimulent la mémoire.
- Nécessaire pour produire et maintenir la structure des cellules.
- Fonctionne en liaison avec l'inositol pour métaboliser les graisses et le cholestérol.

Les symptômes de carence
Problèmes gastriques, retards de croissance, durcissement des artères, mémoire déficiente, certains cas de maladie d'Alzheimer.

Les bonnes sources
Jaunes d'œufs, abats, noix, noisettes, amandes, légumes verts feuillus ou secs, levure, lécithine.

Les indications thérapeutiques
Taux de cholestérol élevé, problèmes gastriques, dépression et anxiété, troubles de la mémoire, maladie d'Alzheimer, cirrhose.

- Indispensable au métabolisme de la graisse et du cholestérol.
- Nécessaire pour que les cellules du cerveau fonctionnent correctement (ainsi que les neurotransmetteurs).
- Participe à l'élimination des graisses présentes dans le foie.

Les symptômes de carence
On ne connaît pas de symptômes de carence bien que l'on suppose que certains cas d'eczémas légers soit causés par une petite carence en inositol.

Les bonnes sources
Levure de bière, haricots, agrumes, abats, cantaloup, melon, raisin, pruneaux, germe de blé, cacahuètes, choux, céréales.

Les indications thérapeutiques
Taux de cholestérol élevé, problèmes de cheveux, eczéma, dépression, anxiété, neuropathie diabétique.

CI-CONTRE *Les fruits secs, tels que les noix, constituent de délicieuses sources de choline.*

❖ On ne connaît pas d'effets toxiques à l'inositol.
❖ Toujours associer la prise de calcium avec l'inositol : il est nécessaire à l'équilibre du phosphore et du calcium dans l'organisme car l'inositol (et la choline) augmente le taux de phosphore dans le corps.
❖ L'inositol devrait être absorbé en complément avec la choline et autres vitamines B pour un effet optimal.

❖ La choline devrait toujours être absorbée avec d'autres vitamines B comme la phosphatidyle choline ou la lécithine.
❖ La consommer systématiquement en association avec le calcium.

POSOLOGIE

La plupart des compléments du groupe B contiennent de la choline et de l'inositol. Posologie entre 50 et 1 000 mg ou 1 à 2 cuillerées à café de lécithine par jour.

Calcium

CA

*Le calcium est un minéral indispensable :
il constitue nos os et nos dents, et est essentiel
à la transmission des informations aux nerfs.
Nous n'en avons jamais trop. Les femmes sont
souvent plus carencées que les hommes,
et les personnes âgées, surtout les femmes, sont
particulièrement vulnérables à un manque
de calcium. Une carence peut rendre les os friables
et provoquer des crampes
musculaires.*

QUELQUES DONNÉES (ANC: de 600 à 1 200 mg)

Le calcium est un minéral très important, et de récentes études ont montré qu'un tiers seulement de nos besoins était comblé. Il est indispensable à l'homme : nos os et nos dents (où il se trouve essentiellement) en ont absolument besoin ; il permet aussi la transmission des messages dans les nerfs. Grâce à lui, nos muscles se contractent, notre cœur bat, et notre système immunitaire joue son rôle de barrière contre les diverses agressions.

- Nécessaire à l'action d'un certain nombre d'hormones, au bon fonctionnement des muscles et à la coagulation de la pression sanguine.
- Sert à la libération des neurotransmetteurs du cerveau et favorise le système nerveux.
- Renforce les os et les dents.
- Aide à métaboliser le fer.
- Nécessaire pour que notre cœur batte.
- Nécessaire à la structure des cellules.
- Participe à l'assimilation de la vitamine B12.

Les symptômes de carence

De nombreux groupes de personnes risquent des carences en calcium, surtout les personnes âgées. Important à son bon fonctionnement, notre organisme puise le calcium là où il se trouve, essentiellement dans les os, ce qui, à terme, les fragilise. Les hormones parathyroïdiennes et la thyroïde en maintiennent l'équilibre normal dans les tissus. Une carence peut entraver la croissance, entraîner un rachitisme et une tétanie. D'autres symptômes se traduisent par des problèmes gingivaux, des crampes musculaires, une perte de tonus musculaire et des convulsions.

Les bonnes sources

Lait, fromage, produits laitiers, soja, légumes verts feuillus, saumon, noix, noisettes, amandes, les racines comestibles et le brocoli.

Les indications thérapeutiques

Douleurs croissantes, crampes menstruelles, hypoglycémie, crampes musculaires, ostéoporose, allergies, hypertension, migraine, problèmes cardiaques, insomnie.

CI-DESSUS *Les personnes âgées sont particulièrement vulnérables aux carences en calcium.*

CI-CONTRE *Les légumes verts feuillus ainsi que les produits laitiers sont riches en calcium. Ne les oubliez pas dans votre alimentation.*

SI VOUS N'ABSORBEZ
PAS ASSEZ DE
CALCIUM, IL SERA
PUISÉ DANS VOS OS

EST INDISPENSABLE
À DES DENTS EN
BONNE SANTÉ

LES OS
DEVIENNENT
FRIABLES SI
VOUS ÊTES
CARENCÉ EN
CALCIUM

UNE CARENCE EN
CALCIUM PEUT
ENTRAÎNER DES
FRACTURES

UNE CARENCE
EN CALCIUM
PEUT
PROVOQUER LE
RACHITISME

CI-CONTRE *Le calcium est l'un
des minéraux essentiels à notre
organisme, notamment pour des os
et des dents en bonne santé. Une
déficience calcique peut rendre
notre ossature friable.*

REMARQUES

❖ Dépasser 2 mg de calcium par jour entraîne un surdosage; cependant, le calcium est facilement éliminé par l'organisme, et il n'y a aucun danger d'intoxication, juste un risque de calcul rénal.

❖ Le calcium et le magnésium contribuent ensemble à la santé du cœur et de la circulation. Si vous manquez de magnésium, les carences en calcium ne seront pas comblées par des compléments. Il faudra doubler la quantité de calcium par rapport au magnésium afin de rétablir l'équilibre.

❖ La vitamine D est indispensable à son assimilation.

❖ Les personnes dont le régime est pauvre en graisses risquent de fixer difficilement le calcium.

❖ Les personnes stressées ont besoin d'un apport supplémentaire en calcium car le stress provoque une élimination plus élevée du calcium dans les urines.

❖ Les femmes sont davantage sujettes aux carences en calcium que les hommes.

❖ La meilleure façon d'absorber un complément en calcium est de le prendre sous forme de citrate de calcium, facilement assimilé par l'organisme. L'absorption de la dolomite se fait moins bien, surtout chez les sujets dont l'acide gastrique n'a pas une activité maximale.

POSOLOGIE

*Les spécialistes
recommandent de
prendre le calcium sous
forme de compléments
en vitamines et
minéraux; ils pres-
crivent parfois des
doses de 1 mg
par jour.*

CI-DESSOUS *Le calcium est
indispensable à la bonne santé
de notre système nerveux.*

Fer

FE

L'anémie, souvent associée à un manque de fer, fut découverte il y a 3 500 ans. Le fer est une composante des globules rouges et des muscles; il participe à la diffusion de l'oxygène dans l'organisme. Les femmes perdent deux fois plus de fer que les hommes et sont davantage sujettes aux carences, surtout durant les périodes de grossesse. Boire un café une heure après un repas peut réduire l'absorption du fer jusqu'à 80 %.

CI-CONTRE *Si vous pensez être carencé en fer, ajoutez à votre régime alimentaire des fruits de mer, du foie, de la viande rouge.*

CI-DESSOUS *Les physiciens de l'ancienne Égypte avaient déjà fait le lien entre anémie et carence en fer.*

QUELQUES DONNÉES (ANC: de 7 à 21 mg)

Le fer, nutriment minéral essentiel, est une composante de l'hémoglobine et des molécules myoglobines. L'hémoglobine présente dans les globules rouges transporte l'oxygène des poumons aux cellules et retourne les déchets de gaz carbonique des cellules aux poumons. La myoglobine, présente dans les tissus des muscles striés, transporte l'oxygène dans les tissus pour stocker l'énergie. Le fer est également un complément de certains enzymes métaboliques. L'excédent est stocké dans la rate, la moelle épinière et le foie. Les anémies, souvent dues à une forte carence en fer, étaient déjà diagnostiquées 1 500 ans av. J.-C. par les physiciens égyptiens. De nos jours, plus de 500 millions de personnes dans le monde en souffrent. En moyenne, la femme, plus touchée par cette carence, perd deux fois plus de fer que l'homme.

- Nécessaire à la production de l'hémoglobine et de certains enzymes.
- Participe à l'activité immunitaire.
- Alimente les cellules en oxygène.
- Indispensable au foie.
- Protège contre l'effet des radicaux libres (*voir* pages 18 et 19).

Les symptômes de carence
Anémie, problèmes de croissance, certaines formes de surdité, pâleur excessive, essoufflement, fatigue, densité osseuse réduite.

Les bonnes sources
Foie, céréales, poudre de cacao, légumes verts, chocolat noir, fruits de mer, noix, noisettes, amandes, légumes secs, brocolis, viande rouge, jaune d'œuf, mélasse.

Les indications thérapeutiques
Anémie, perte auditive, douleurs menstruelles, syndrome des jambes lourdes, faible résistance aux infections, fatigue.

POSOLOGIE

Les femmes en période de règles, enceintes ou qui allaitent, les nourrissons, les enfants, les sportifs de haut niveau et les végétariens ont particulièrement besoin de compléments ferreux. Ces derniers peuvent être prescrits par un généraliste. Plusieurs formules sont disponibles, à des dosages différents (jusqu'à 300 mg).

CI-CONTRE *Le chocolat noir, à consommer avec modération, constitue une bonne source en fer.*

REMARQUES

❖ La toxicité est rare, mais un excès de fer peut entraîner une constipation. Les enfants sont davantage sensibles à un empoisonnement par le fer, et il est recommandé de laisser les compléments hors de leur portée.

❖ Le fer d'origine ferreuse détruit la vitamine E.

❖ Consommer une boisson caféinée durant un repas ou une heure après peut empêcher l'assimilation du fer jusqu'à 80 %.

❖ Seulement 8 % du fer pris par voie orale est effectivement assimilé dans le sang.

❖ Le cuivre, le cobalt, le manganèse et la vitamine C, indispensables au bon métabolisme du fer, sont à prendre en association.

❖ Les femmes qui ont des règles abondantes devront prendre des compléments ferreux, de même que les femmes enceintes ou qui allaitent.

CI-CONTRE *Les femmes perdent deux fois plus de fer que les hommes. Une carence en fer peut provoquer des troubles de l'audition, l'anémie, une pâleur excessive, l'essoufflement et une grande fatigue.*

Magnésium

MG

Le magnésium est un minéral indispensable à tous les processus biochimiques de l'organisme, et les carences sont fréquentes. Leurs symptômes sont : battements de cœur irréguliers, palpitations, mauvaise circulation, spasmes musculaires et crampes, nervosité et anxiété. Le stress, une forte consommation de thé et de café peuvent épuiser les ressources en magnésium. Chez certaines personnes, il n'est pas conseillé de prendre de tels compléments (voir les Remarques page 51).

CI-CONTRE *Les carences en magnésium chez le jeune enfant peuvent entraîner une hyperactivité.*

QUELQUES DONNÉES (ANC: de 100 à 400 mg)

Le magnésium est un minéral indispensable à tous les processus chimiques de notre organisme, y compris le métabolisme et la synthèse des acides nucléiques et des protéines.

- Répare et entretient les cellules.
- Nécessaire à l'activité hormonale.
- Permet la production d'énergie.
- Équilibre et contrôle le potassium, le calcium et le sodium dans l'organisme.
- Aide à fixer le calcium sur l'émail des dents.
- Antidiabète.
- Nécessaire à la contraction et relaxation des muscles, y compris le cœur.
- Indispensable à la transmission des impulsions nerveuses.
- Obligatoire pour la croissance et le développement du squelette.

Les symptômes de carence

Une carence en magnésium est fréquente, surtout chez les personnes âgées, les gros buveurs, les femmes enceintes, les sportifs. Il a été démontré que même une légère carence pouvait entraîner des troubles, des battements cardiaques, ainsi que de nombreux problèmes dont l'anorexie, l'anémie, une moindre capacité à se désintoxiquer, de la nervosité et de l'anxiété, des palpitations, des spasmes musculaires et des crampes, des tics faciaux, une perte de la densité et de la masse osseuse, des insomnies, une hyperactivité chez l'enfant, des problèmes de tension, des syndromes prémenstruels, une mauvaise circulation sanguine, des douleurs menstruelles, des calculs rénaux. Le syndrome de la fatigue chronique serait lié à une déficience fonctionnelle en magnésium lorsque la quantité nécessaire dans le sang est présente mais non assimilée par les cellules. En pareil cas, un complément en vitamine B6 facilite la circulation du magnésium dans les membranes cellulaires.

Les bonnes sources

Riz brun, haricots rouges, levure de bière, noix, noisettes, amandes, chocolat amer, légumineuses, fruits de mer.

Les indications thérapeutiques

Calculs rénaux, asthme, ostéoporose, dépression anxiété, fatigue, syndromes prémenstruels, douleurs menstruelles, fibromyalgie, glaucomes, endurance et force chez les athlètes, hypoglycémie, insomnie, migraine, problèmes gingivaux, hypercholestérolémie, hypertension, éclampsie, certaines formes de pertes auditives, problèmes de la prostate.

LE MAGNÉSIUM EST INDISPENSABLE À LA PRODUCTION D'ÉNERGIE

LE MAGNÉSIUM SERT À TRANSMETTRE LES IMPULSIONS NERVEUSES

UNE CARENCE PEUT ENTRAÎNER DES PALPITATIONS

LES CRAMPES MUSCULAIRES PEUVENT ÊTRE SYMPTOMATIQUES D'UNE CARENCE EN MAGNÉSIUM

REMARQUES

❖ Le magnésium est toxique pour les personnes souffrant de problèmes rénaux ou d'obstruction atrio-ventriculaire. En dehors de ces troubles spécifiques, le magnésium est recommandé. Un excès entraîne, rarement cependant, des rougeurs cutanées, de l'hypertension, une pépie et une respiration superficielle.

❖ Une trop forte consommation de café et de thé peut provoquer une élimination supérieure en magnésium, il faudra en prendre en complément. La pilule contraceptive, les diarrhées chroniques, le syndrome de l'intestin irrité et l'utilisation de laxatifs diminuent également le taux en magnésium.

❖ Le stress peut occasionner une perte en magnésium : augmentez alors votre consommation.

CI-DESSOUS *Mangez des légumes secs, ils contiennent beaucoup de magnésium.*

GRAINES DE SOJA

HARICOTS

POSOLOGIE

L'apport de magnésium dans les régimes occidentaux serait insuffisant. On recommande 200 à 400 mg par jour. Les meilleures façons de les prendre sont sous forme de citrate de magnésium et de taurate de magnésium. Un bon complément en vitamines et minéraux doit comporter une dose appropriée en magnésium.

CI-DESSUS *Le magnésium est indispensable pour produire de l'énergie.*

Zinc

ZN

Le zinc est l'un des principaux oligo-éléments. Il joue un rôle dans la plupart des processus vitaux de l'organisme, dont la communication génétique et la protection du système immunitaire. Les taches blanches sur les ongles et certains problèmes dermatologiques peuvent indiquer une déficience. Les carences mineures sont fréquentes, cependant une prise supérieure à 30 mg par jour peut déséquilibrer d'autres nutriments entraînant un apport supplémentaire en cuivre, fer et sélénium.

CI-CONTRE *Les champignons constituent une source naturelle en zinc. Efforcez-vous d'en manger régulièrement.*

MAUVAISE VUE

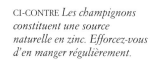

TROUBLES AUDITIFS

ODORAT DÉFICIENT

PAPILLES GUSTATIVES ATROPHIÉES

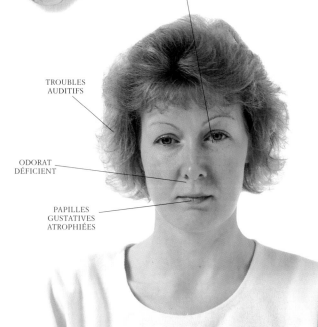

QUELQUES DONNÉES (ANC: de 3 à 15 mg)

Le zinc est l'un des plus importants oligo-éléments. Il est indispensable à plus de deux cents activités enzymatiques. Ce minéral, principal protecteur du système immunitaire, joue un rôle crucial dans la régulation de l'information génétique. Il est également indispensable à la structure et au fonctionnement des membranes cellulaires. Une légère carence en zinc est relativement fréquente et peut occasionner certains troubles comme la stérilité masculine, un faible poids à la naissance et l'acné juvénile.

- Nécessaire à la fertilité masculine.
- Indispensable aux activités hormonales, à la croissance, au métabolisme de l'énergie, à l'hémoglobine.
- Permet le stockage de l'insuline.
- Transporte le gaz carbonique.
- Favorise la synthèse de la prostaglandine.
- Participe à la synthèse du collagène.
- Nécessaire au métabolisme de la vitamine A et à sa distribution dans l'organisme.
- Détoxique de l'alcool.
- Préviendrait les cancers.
- Prévient la cécité associée à l'âge.
- Protège contre les effets dégénératifs de l'âge.
- Antioxydant.

Les symptômes de carence
Taches blanches sur les ongles, rougeurs de la peau, pousse capillaire lente, problèmes dermatologiques, perte anormale de cheveux, acné, anorexie, dépression, irritabilité, maladie mentale, mauvais fonctionnement des glandes sexuelles, léthargie, stérilité masculine, croissance ralentie chez les enfants, mauvaise cicatrisation, goût et odorat peu développés. Les compléments en zinc peuvent réduire l'apparition de cancers, renforcer l'activité cérébrale et équilibrer le taux de sucre dans le sang. Il est également indispensable aux organes sensoriels.

Les bonnes sources
Abats, viande, champignons, graines, huîtres, œufs, céréales, levure de bière.

Les indications thérapeutiques
Stérilité masculine, acné, anorexie, ulcères buccaux, infections virales, anémie à hématies falciformes, acouphène, problèmes de thyroïde et du système immunitaire, arthrite, ulcères, troubles de la croissance, allergies, alcoolisme.

CI-CONTRE *Un apport insuffisant en zinc peut entraîner certains dysfonctionnement des organes sensoriels.*

REMARQUES

❖ Aucune toxicité n'est associée au zinc, mais l'injection de fortes doses peut entraîner des nausées, des vomissements et des diarrhées.

❖ Les femmes enceintes ou qui allaitent ont un besoin accru en zinc.

❖ Les maladies chroniques, les opérations, les blessures et les infections nécessitent davantage de zinc afin de favoriser la guérison.

❖ Évitez, autant que possible, de boire du thé ou du café en mangeant des aliments riches en zinc : la caféine peut entraver son métabolisme.

❖ Les personnes sous pilule contraceptive, qui prennent des compléments en fer ou en acides foliques, peuvent présenter des carences.

❖ Les meilleures formes de zinc sont le citrate, le glutamate, le picolinate et la monométhionine de zinc.

CI-DESSOUS *Afin de prévenir les effets du vieillissement, mangez des aliments riches en zinc : huîtres, œufs et graines.*

POSOLOGIE

Associer les prises à un complément riche en vitamines et en minéraux : de 15 à 30 mg par jour ; au-delà, augmenter les doses de cuivre, de fer et de sélénium.

CI-DESSOUS *Une femme carencée en zinc peut mettre au monde un enfant dont le poids est inférieur à la moyenne.*

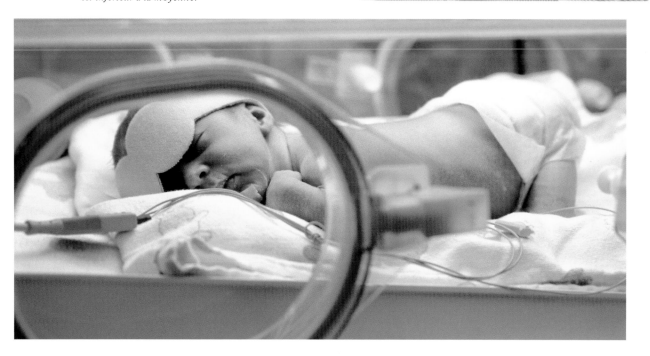

Bore

B

L'importance de l'oligo-élément bore a été découverte récemment. Nous savons maintenant que les personnes qui vivent dans des zones où le sol est riche en bore souffrent moins d'arthrite. Les besoins de l'organisme sont faibles et on ne connaît pas encore bien ses symptômes de carences.

QUELQUES DONNÉES

Le bore est un oligo-élément qui se trouve dans la plupart des plantes. Il fait partie des nutriments essentiels à notre santé. De récentes études ont montré qu'un complément en bore associé aux régimes pour femmes en postménopause diminuait les pertes en calcium et la déminéralisation osseuse. En outre, il a été prouvé que les habitants des zones dont les sols sont riches en bore étaient moins sujets à l'arthrite.

- Aide à maintenir un bon niveau en minéraux et en hormones nécessaires aux os.
- Peut réduire les chutes de calcium chez les femmes ménopausées.
- Aide à prévenir l'ostéoporose.
- Développe les muscles.

Les symptômes de carence

Il n'y en a pas vraiment. Cependant, on pense qu'une déficience en bore pourrait provoquer certains problèmes comme l'ostéomalacie et l'ostéoarthrite, certains problèmes de métabolisme du calcium, du magnésium et du phosphore, ainsi qu'un stress accru.

Les bonnes sources

Poires, pruneaux, légumes secs, raisins secs, tomates, pommes.

Les indications thérapeutiques

Arthrite, ostéoporose, ménopause, développement musculaire, traitement externe d'infections fongiques et bactériennes.

REMARQUES

❖ Le bore peut être toxique à une dose supérieure à 100 mg. Une prise fatale serait de 15 à 20 g pour l'adulte et entre 3 et 6 g pour l'enfant. Les symptômes de toxicité sont : rougeurs, vomissements, diarrhées, circulation ralentie, commotions et coma.
❖ Le bore, souvent utilisé par les athlètes débutants et les body-builders, augmenterait le taux de testostérone et le développement des muscles chez l'homme.

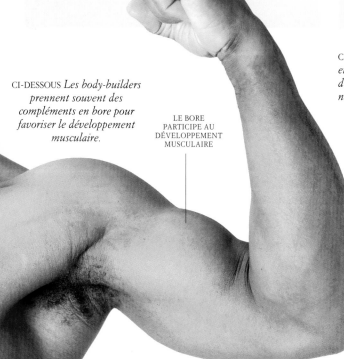

CI-DESSOUS *Les body-builders prennent souvent des compléments en bore pour favoriser le développement musculaire.*

LE BORE PARTICIPE AU DÉVELOPPEMENT MUSCULAIRE

CI-CONTRE *Les pommes et les poires sont d'excellentes sources naturelles en bore.*

POSOLOGIE

Le bore peut être absorbé seul, mais il est préférable de le consommer sous forme associé à des vitamines et des minéraux. Les spécialistes recommandent de ne pas dépasser 3 mg par jour, sauf prescription contraire.

Cobalt

CO

Une déficience en cobalt peut occasionner une anémie car il est un des composants de la vitamine B12. Les carences, cependant, sont plus courantes chez les végétaliens et les végétariens. Il ne se trouve pas en complément isolé. Une posologie excessive peut être nocive : il est souvent associé, en faible proportion, à des préparations multivitaminiques et minérales.

ÉPINARD

COURGETTES

BROCOLI

CHOUX

QUELQUES DONNÉES (ANC: de 1 à 10 mcg)

Le cobalt constitue la vitamine B12. C'est un oligo-élément présent dans les sols : notre taux dépend donc de la qualité des sols où ont poussé les aliments que nous consommons. Hormis chez les végétariens et les végétaliens, les carences en cobalt sont rares. Nos faibles besoins en cette substance servent essentiellement (et uniquement selon certains praticiens) à prévenir l'anémie.

Il fonctionne en association avec la vitamine B12 pour :
• la production des globules rouges
• la bonne santé du système nerveux.

Les symptômes de carence

Il n'existe pas de symptômes spécifiques mais, en tant que composant de la vitamine B12, une déficience peut entraîner de l'anémie.

Les bonnes sources

Légumes verts feuillus, viande, foie, lait, huîtres, palourdes.

Les indications thérapeutiques

Essentiellement contre l'anémie, il stimule la production des globules rouges et régule le système nerveux.

CI-CONTRE *Les légumes verts feuillus sont d'excellentes sources en cobalt s'ils ont poussé dans des sols riches en ce minéral.*

CI-DESSOUS *Le cobalt est un composant de la vitamine B12, nécessaire à la production des globules rouges.*

REMARQUES

Un excès de cobalt ou de ses composés peut entraîner des nausées, des dommages rénaux, une grande nervosité, des dysfonctionnements cardiaques, voire la mort.

POSOLOGIE

On trouve le cobalt essentiellement en association avec d'autres vitamines et minéraux sous forme de compléments. Posologie quotidienne recommandée : 8 mcg environ.

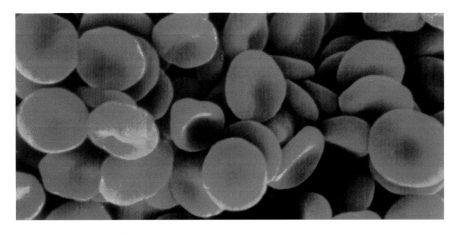

Chrome

CR

Le rôle du chrome a été découvert il y a seulement quelques décennies. Il favorise la régulation du taux de sucre dans le sang; il intervient dans le traitement du diabète. On l'utilise, associé au magnésium et aux vitamines B, pour métaboliser le sucre : manger trop de glucides peut donc réduire son taux. Ce minéral contrôle également le cholestérol dans le sang.

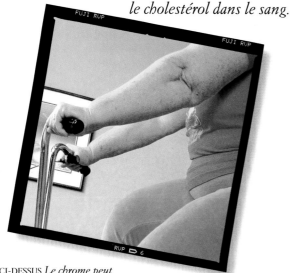

CI-DESSUS *Le chrome peut être utile à ceux qui cherchent à perdre du poids car il supprime les fringales.*

QUELQUES DONNÉES (ANC: de 1 à 25 mcg)

On a découvert l'importance de cet oligo-élément pour notre santé dans les années cinquante. Il fonctionne comme un important régulateur du sucre dans le sang et est utilisé dans le traitement des diabètes. Il stimule l'activité de l'insuline, contrôle le taux de glucose dans le sang en favorisant sa consommation par les muscles et les organes, il favorise le métabolisme du glucose et la synthèse des protéines, contrôle les taux de cholestérol et de graisse dans le sang, réduit l'artériosclérose, accroît la résistance aux infections et supprime les fringales.

L'organisme a besoin de chrome, de magnésium et de vitamines B afin de métaboliser le sucre; un régime trop riche en sucre puisera excessivement dans les réserves de ces nutriments essentiels. Nous savons que nos modes alimentaires occidentaux sont pauvres en chrome car trop riches en sucre et en produits raffinés: ceci serait à l'origine de nombreux problèmes de santé.

• Le chrome favorise l'activité de l'insuline.

Les symptômes de carence
Diabètes, hypoglycémie, fatigue, sautes d'humeur, hypercholestérolémie et artériosclérose.

Les bonnes sources
Foie, céréales complètes, viande, fromage, levure de bière, mélasse, champignons, jaunes d'œuf.

Les indications thérapeutiques
Hypercholestérolémie, hypoglycémie, diabètes, maladies cardiaques, dépression et anxiété, syndromes prémenstruels.

REMARQUES

❖ Le risque d'intoxication est rare car l'organisme assimile moins de 10 % du chrome absorbé.
❖ Certaines personnes prenant un complément en chrome peuvent avoir des rêves agités.
❖ Le chrome est recommandé aux personnes souffrant de sautes d'humeur dues à de l'hypoglycémie, ainsi qu'aux personnes suivant un régime amaigrissant car il permet de couper l'appétit.

CI-DESSOUS *Le régime occidental, riche en sucre et en aliments raffinés, est souvent carencé en chrome.*

POSOLOGIE

La posologie moyenne se situe entre 100 et 200 mcg; au-delà, ce sont des doses thérapeutiques.

Cuivre

CU

Le cuivre est un oligo-élément qui fonctionne avec le fer pour fixer l'oxygène dans les globules rouges. Antioxydant très important, il produit du collagène. Il provient des conduites d'eau, des ustensiles de cuisine, de la pollution, de la fumée. Les aliments complets constituent l'une des meilleures sources en cuivre.

QUELQUES DONNÉES (ANC: de 0,2 à 2 mg)

Le cuivre est un oligo-élément nécessaire à la respiration. En effet, le cuivre et le fer participent à la synthèse de l'oxygène dans les globules rouges. Le cuivre est également important pour la production de collagène, garant de la bonne santé des os, des cartilages et de la peau. Antioxydant (*voir* pages 18 et 19), il nous protège des effets nocifs des radicaux libres. Nous devrions en absorber entre 2 et 5 mg par jour. Le cuivre ne se trouve pas dans les aliments frais mais dans les conduites d'eau, les ustensiles de cuisine et, pour comble d'ironie, dans des sources malsaines comme la cigarette, la pilule contraceptive et la pollution, surtout celle provenant des automobiles.

- Nécessaire à la production des hormones surrénales.
- Aide à l'absorption du fer.
- Nécessaire à l'entretien des vaisseaux sanguins et des tissus connectifs.
- Nécessaire à la production d'énergie.
- Antioxydant.
- Entretient les fibres nerveuses.
- Essentiel à l'assimilation de la vitamine C.
- Utilise la tyrosine qui procure à la peau et aux cheveux leur couleur.
- Régule le cholestérol.
- Désactive l'histamine.

Les symptômes de carence

Anémie, œdèmes, problèmes de pigmentation de la peau, hémorragie, problèmes de cheveux, irritabilité et perte du goût.

Les bonnes sources

Avocats, foie, mélasse, aliments complets, fruits de mer, noix, noisettes, amandes, fruits, rognons, légumes secs.

Les indications thérapeutiques

Anémie, rhumatisme et arthrite, certains cancers, problèmes énergétiques.

CI-DESSOUS Bien que le cuivre se trouve essentiellement dans des sources non-alimentaires, il est notamment présent dans les fruits de mer.

POSOLOGIE

Le cuivre, présent dans de nombreux compléments en vitamines et minéraux, peut être pris en dose isolée jusqu'à 3 mg, la dose maximale se situant entre 1 et 2 mg.

REMARQUES

❖ Un excès en cuivre peut provoquer des diarrhées, des vomissements, des douleurs musculaires, une dépression, de la nervosité, voire la démence, mais le risque de toxicité est faible et exceptionnel.

❖ Si vous mangez suffisamment d'aliments complets et de légumes verts feuillus, votre apport en cuivre doit être bon.

❖ Les compléments alimentaires qui ne contiennent pas de cuivre peuvent entraîner une carence en apportant des nutriments qui entrent en compétition avec le cuivre (le zinc par exemple). Le zinc et le cuivre ne doivent pas être absorbés en même temps, sauf s'ils se présentent sous forme d'un complément vitaminé équilibré.

❖ Un complément peut entraîner une baisse du taux de zinc, et par conséquent provoquer des insomnies. Cependant, un nutritionniste peut utiliser le cuivre dans un but thérapeutique car il sait maîtriser ses effets nocifs.

CI-CONTRE Le cuivre peut être absorbé par l'organisme grâce au port d'un bracelet, ou la consommation de certains aliments, comme les avocats par exemple.

Fluor

F

Le fluor ou fluorite est important pour la prévention des caries dentaires, mais un excès peut tacheter les dents. La fluorite est ajoutée à l'eau du robinet dans de nombreux pays, mais cette solution a entraîné un débat assez houleux : le fluor se trouve déjà à l'état naturel dans de nombreux aliments. Il n'est pas conseillé d'en prendre en complément sauf avis médical contraire.

QUELQUES DONNÉES (ANC : de 0,5 à 1 mg)

Le fluor est un oligo-élément naturellement présent dans le sol, l'eau, les plantes et les tissus d'origine animale. Nous nous référons habituellement à sa forme chargée électriquement, la « fluorite ». Bien que non encore reconnue comme nutriment essentiel, des études ont démontré qu'elle joue un rôle primordial dans plusieurs processus et dans la prévention des maladies mortelles, comme les maladies cardiaques. La principale source de fluor est l'eau du robinet qui est suffisamment fluorée naturellement.

- Combat les caries dentaires.
- Protège contre l'ostéoporose.
- Peut éviter les maladies cardiaques.
- Peut prévenir la calcification des organes et des structures musculo-squelettiques.

Les symptômes de carence
Dents gâtées, ostéoporose, peut être à l'origine de la stérilité ou de l'anémie.

Les bonnes sources
Fruits de mer, viande animale, thé noir.

Les indications thérapeutiques
Dents gâtées, os fragiles.

REMARQUES

❖ Les compléments en fluor devraient toujours être associés au calcium.
❖ À ne consommer que sur avis médical.
❖ La dose toxique située entre 10 et 80 mg peut déclencher de sérieux problèmes dentaires et osseux, comme la surstimulation des glandes parathyroïdiennes. D'un autre côté, réduire, même légèrement, les doses peut entraîner des problèmes d'énergie et de calcification des tendons et des ligaments.
❖ On trouve la fluorite dans la plupart des aliments, c'est pourquoi certains contestent son ajout dans les eaux du robinet.
❖ Trop de fluorite, même en petite quantité, peut provoquer des taches sur les dents, de l'ostéoporose et des saillies osseuses. Cependant, pris en quantité adéquate, le fluor est le meilleur moyen de prévenir les caries dentaires et de fabriquer des os et des dents solides.

À DROITE *L'eau du robinet et le thé noir au citron constituent d'excellentes sources en fluor.*

À GAUCHE *Le fluor est souvent ajouté à l'eau du robinet dans les régions où sa teneur est insuffisante.*

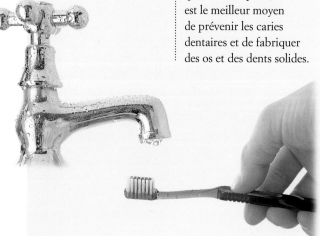

POSOLOGIE

La principale source provient de l'eau bue quotidiennement, la quantité moyenne se situe entre 1 et 2 mg. Il existe en pharmacie des comprimés et des gouttes, mais il ne faut pas excéder 1 mg par jour pour un adulte et entre 0,25 et 0,5 mg pour un enfant. Il est déconseillé de prendre du fluorite en complément hors avis médical. Les compléments vitaminés et minéraux en contiennent rarement.

Iode

I

Iode est le mot grec pour «violet», couleur de cet important minéral. Sa principale fonction est de produire les hormones de la glande thyroïde. On la trouve dans les fruits de mer et les algues. Le goitre (déformation de la glande thyroïde), existe surtout dans les régions où le sol est pauvre en iode : le sel de mer iodé est alors recommandé en tant que complément alimentaire naturel.

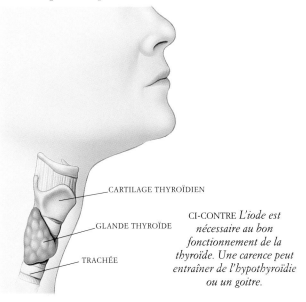

CARTILAGE THYROÏDIEN

GLANDE THYROÏDE

TRACHÉE

CI-CONTRE *L'iode est nécessaire au bon fonctionnement de la thyroïde. Une carence peut entraîner de l'hypothyroïdie ou un goitre.*

REMARQUES

❖ En trop fortes doses, l'iode peut s'avérer nocive et aggraver ou entraîner l'apparition d'acné. Elle peut aussi interférer avec l'activité hormonale.
❖ Certains aliments tels que le chou de Bruxelles, le chou-fleur et le brocoli contiennent des substances qui peuvent entraîner de l'hyperthyroïdie en contrariant l'effet de l'iode. Les personnes qui mangent ces légumes en grande quantité devront envisager de prendre de l'iode en complément.

QUELQUES DONNÉES (**ANC:** de 700 à 120 mcg)

L'iode est un minéral découvert en 1812 dans le varech. Sa couleur violette lui a valu son nom. Il apparaît naturellement et constitue une partie essentielle des hormones de la glande thyroïde qui régule notre énergie. On le trouve dans les fruits de mer, les algues et le sel de table qui est souvent iodé.

- Protège des effets toxiques des matériaux radioactifs.
- Prévient l'apparition de goitre.
- Produit les hormones à partir de la glande thyroïde.
- Bénéfique aux cheveux, aux ongles et aux dents.
- Brûle les graisses excédentaires.

Les symptômes de carence
Les carences sont fréquentes dans les régions où le sol est pauvre en iode, provoquant davantage de goitres et de crétinisme. Selon de récentes études, une carence peut être associée à la maladie de Parkinson, au cancer de la thyroïde, à de multiples scléroses et à la maladie d'Alzheimer. Les symptômes sont une thyroïde surdéveloppée, une peau sèche, des problèmes neurologiques, une surproduction d'œstrogènes, une fatigue chronique, une apathie et une activité immunitaire réduite.

Les bonnes sources
Poisson et fruits de mer, ananas, raisins secs, algues, produits laitiers.

Les indications thérapeutiques
Coupures et blessures (comme antiseptique en usage externe), goitre, problèmes de thyroïdes et kystes mammaires.

POSOLOGIE
Il est préférable d'absorber l'iode sous forme de potassium ou d'algues. Consultez votre généraliste ou votre nutritionniste.

CI-DESSUS *Si vous pensez être carencé en iode, essayez l'ananas frais.*

Potassium

K

Le potassium, le sodium et le chlore constituent les sels essentiels de l'organisme (ou électrolyte), nécessaires à l'équilibre des fluides corporels. Le potassium intervient notamment dans la synthèse des protéines et la contraction des muscles. Il est éliminé par la sueur, et nos besoins doivent être compensés à la suite d'un exercice soutenu, en mangeant des fruits frais ou en buvant des jus de légumes.

CI-DESSUS *Les bananes constituent l'une des meilleures sources naturelles en potassium, et nous devrions en consommer régulièrement.*

POSOLOGIE

Mangez davantage de fruits et de légumes frais afin d'augmenter votre taux en potassium. Les personnes qui absorbent des diurétiques ainsi que celles qui vivent sous des climats chauds ont un besoin de 1,5 g par jour. Il est conseillé de l'associer au zinc et au magnésium dans le cadre d'un bon complément vitaminé et minéral.

QUELQUES DONNÉES (ANC: de 3 à 5 g)

Le potassium est l'un des minéraux les plus importants. Il fonctionne en association avec le sodium et le chlorure pour constituer «les électrolytes», ou sels corporels essentiels. Indispensable, il participe à la conduction nerveuse, les battements du cœur, la production d'énergie, la synthèse des acides nitriques et des protéines ainsi que la contraction musculaire. Le potassium s'élimine par la sueur, lors des diarrhées chroniques et l'utilisation de diurétiques.

- Nécessaire au transport du gaz carbonique par les globules rouges.
- Indispensable à l'équilibre de l'eau et à la synthèse des protéines.
- Électrolyte.
- Indispensable au fonctionnement nerveux et musculaire.
- Stabilise la structure interne des cellules.
- Agit avec le sodium pour diriger les impulsions nerveuses.
- Active les enzymes qui contrôlent la production d'énergie.
- Prévient et guérit l'hypertension.

Les symptômes de carence
Vomissements, vertiges, faiblesses musculaires et paralysie, rétention d'eau, hypotension, soif, somnolence, confusion, grande fatigue.

Les bonnes sources
Avocat, légumes verts feuillus, bananes, fruits secs, jus de fruits et de légumes, noix, noisettes et amandes, pommes de terre, mélasse, farine de soja.

Les indications thérapeutiques
Fatigue musculaire, effet secondaire de médicaments diurétiques.

REMARQUES

❖ Un excédent en potassium peut entraîner une faiblesse musculaire, une apathie mentale, et un arrêt cardiaque, voire une ulcération de l'intestin grêle.

❖ Afin d'éviter toute carence, il est conseillé de manger chaque jour des fruits et des légumes frais (ce sont d'excellentes sources en potassium).

❖ Le potassium pourrait prévenir et guérir certains cancers, cette théorie est à la base du régime alimentaire thérapeutique prescrit par le docteur Max Gerson, régime riche en jus de fruits et légumes frais.

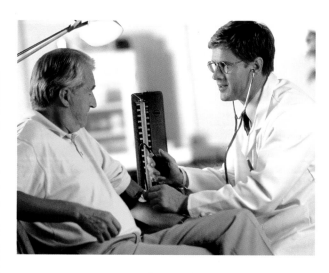

CI-DESSUS *Le potassium peut aider à normaliser la tension. Si vous souffrez d'hypertension, ajoutez-le à votre alimentation.*

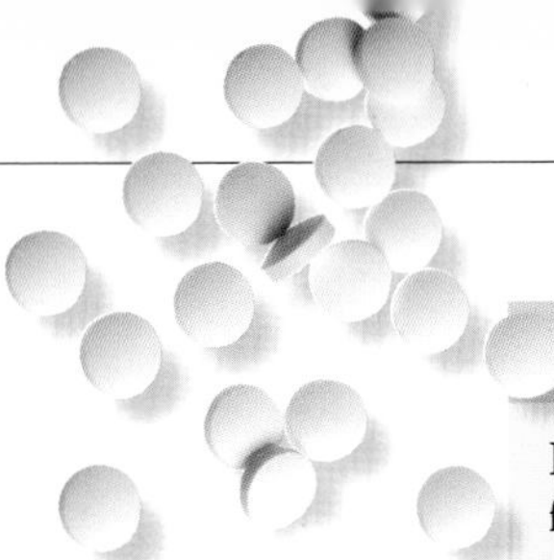

Manganèse

MN

Le manganèse joue un rôle important dans le bon fonctionnement du cerveau. Nous pensons maintenant que c'est un antioxydant, bien que les études sur cet important oligo-élément en soient encore à leurs balbutiements. Sa toxicité est très rare.

REMARQUES

❖ Les intoxications sont rares mais peuvent provoquer une léthargie, des mouvements incontrôlés, des problèmes de maintien, voire le coma. Le manganèse est l'un des minéraux les moins toxiques car il est rejeté rapidement par l'organisme. L'intoxication est possible.

❖ L'assimilation est moins efficace lorsqu'il est associé à du calcium, du fer, et du phytate (présent dans le son).

CI-CONTRE *Un complément en manganèse peut être prescrit aux personnes souffrant de la maladie d'Alzheimer.*

QUELQUES DONNÉES (ANC : de 0,5 à 1 mg)

Le manganèse est un oligo-élément essentiel au fonctionnement normal du cerveau ; il est efficace dans le traitement de nombreux troubles nerveux, dont la maladie d'Alzheimer et la schizophrénie. Nos connaissances sur le manganèse sont encore bien incomplètes, mais il apparaît qu'il serait l'un des plus importants nutriments pour l'homme. Apparemment, ce serait un antioxydant (voir pages 18 et 19).

- Nécessaire au fonctionnement du cerveau.
- Efficace dans le traitement de certains troubles nerveux.
- Nécessaire à l'activité antioxydante.
- Nécessaire au métabolisme de l'énergie.
- Joue un rôle dans le métabolisme du calcium.
- Nécessaire à la production de la mélanine et à la synthèse des acides gras.
- Aide à produire l'urée.
- Permet la fabrication de protéines et acides nucléiques.
- Indispensable à la structure normale osseuse.
- Contribue à la formation de la tyroxine dans la glande thyroïde.

Les symptômes de carence

Dermatite, gêne le métabolisme des hydrates de carbone, manque de mémoire, irritabilité, ataxie, fatigue, problèmes de glycémie, certains types de schizophrénie, règles abondantes, os fragiles et dégénérescence des articulations. Le manganèse est facilement excrété de l'organisme : il est indispensable d'en absorber quotidiennement.

Les bonnes sources

Céréales, thé, légumes verts feuillus, pain complet, légumes secs, foie, légumes à racine, noix, noisettes, amandes.

Les indications thérapeutiques

Épilepsie, maladie d'Alzheimer, schizophrénie, myasthénie, anémie, diabète, maladies cardiaques, artériosclérose, arthrite.

POSOLOGIE

Associer le manganèse à un complément multivitaminé et minéral. La dose adéquate se situe entre 2 et 5 mg, mais il n'y a aucun risque à en prendre jusqu'à 10 mg.

Molybdène

MO

Le molybdène est un oligo-élément essentiel dont nous ne connaissons pas encore toutes les propriétés. Ce serait un antioxydant, un élément agissant contre le cancer et contre l'anémie. Il est toxique en dose supérieure à 10 mg, bien qu'il ne soit pas conseillé d'en prendre en dose quotidienne. Il est généralement présent dans la plupart des préparations vitaminées et minérales.

CI-DESSOUS
Bien que pour l'instant le molybdène ne soit pas prescrit thérapeutiquement, on pense qu'il peut lutter contre l'impuissance.

QUELQUES DONNÉES (ANC: de 0,2 à 0,5 mg)

Le molybdène, oligo-élément essentiel, est une partie vitale de l'enzyme responsable de l'utilisation du fer dans l'organisme. Le molybdène est aussi supposé être un antioxydant. De récentes études ont démontré qu'il était indispensable à une bonne santé. C'est un oligo-élément impliqué dans la synthèse des protéines et dans les réactions d'oxydation.

- Favorise le métabolisme des graisses et des hydrates de carbone.
- Est vitale pour l'assimilation.
- Protégerait du cancer.
- Prévient l'anémie, puisqu'il est nécessaire au métabolisme du fer.
- Nécessaire à la production de l'acide urique.
- Indispensable à la synthèse de la taurine.
- Peut prévenir l'impuissance masculine.
- Aide à lutter contre les caries dentaires.

Les symptômes de carence
Battements de cœur irréguliers, irritabilité, incapacité à produire l'acide urique.

Les bonnes sources
Haricots en grains, germes de blé, foie, légumes secs, aliments complets, œufs, abats, sarrasin.

Les indications thérapeutiques
Anémie, prévention des caries.

POSOLOGIE

Les spécialistes conseillent, en mesures préventives, une dose quotidienne entre 50 et 100 mg, de préférence incluse dans un comprimé de vitamines et de minéraux.

REMARQUES

❖ Le molybdène, toxique en dose comprise entre 10 et 15 mg, entraîne des symptômes semblables à ceux de la goutte.

❖ Une prise élevée de cuivre ou de sulfate de fer peut réduire l'assimilation du molybdène par l'organisme.

CI-DESSOUS *Toutes les variétés de haricots secs constituent une excellente source en molybdène.*

CI-DESSUS *Les œufs et le pain complet font partie des aliments riches en molybdène.*

Phosphore

P

L'une des fonctions du phosphore est d'aider à la construction de la structure osseuse. Bien que ce soit un important minéral, il est très répandu et ses carences sont rares. Cependant, il est indispensable que le calcium et le phosphore soient équilibrés. On le trouve communément dans les sodas et les aliments dits «fast-food», si bien qu'un régime alimentaire pauvre peut entraîner un excédent en phosphore tout en causant un manque en calcium.

CI-CONTRE *Le phosphore est présent dans de nombreux sodas dont l'excès peut conduire à un manque en calcium.*

QUELQUES DONNÉES (ANC: de 0,8 à 1 g)

Le phosphore – présent dans le corps sous forme de phosphates – est un minéral essentiel à la structure osseuse et au fonctionnement de l'organisme. Il est également indispensable à l'échange entre les cellules et à la production en énergie.

- Il structure les os, les dents et les membranes cellulaires.
- Le phosphore brûle le sucre nécessaire à l'énergie.
- Il agit en tant que co-facteur de nombreux enzymes et active les vitamines du groupe B.
- Il augmente l'endurance.

Les symptômes de carence
Il est présent dans de nombreux aliments, ainsi que les sodas et les additifs alimentaires ; les carences sont rares. Certains problèmes chroniques peuvent cependant entraîner une légère carence dans l'organisme. Les symptômes sont : confusion mentale, faiblesse, perte d'appétit, irritabilité, problèmes d'élocution, anémie, faible résistance aux infections.

Les bonnes sources
La viande, les poissons, les levures, les aliments complets, le fromage, le soja, les noisettes et les amandes.

Les indications thérapeutiques
Il soigne les problèmes décrits ci-dessus.

CI-DESSUS *Le phosphore accroît l'endurance et stimule en cas de faiblesse.*

REMARQUES

❖ L'intoxication peut se produire lors d'une prise excédant 1 g par jour, entraînant diarrhée, calcification des organes et des tissus. Il peut aussi empêcher l'assimilation du fer, du zinc et du magnésium.

❖ De récentes études ont démontré qu'un déséquilibre à long terme entre calcium et phosphore pouvait être à l'origine de l'ostéoporose. Lorsque la prise de phosphore est trop élevée, la sécrétion de l'hormone parathyroïdienne est stimulée, ce qui provoque l'excrétion du phosphore de l'organisme et une mobilisation du calcium.

POSOLOGIE

Une carence en phosphore s'accompagne généralement d'une carence en potassium, en magnésium et en zinc. Veillez à prendre un complément riche en vitamines et en minéraux intégrant ces quatre éléments. L'alimentation en apporte suffisamment ; en général consultez votre médecin.

Sélénium

SE

Le sélénium est un oligo-élément. On a découvert qu'il était antioxydant et procurait une certaine protection contre de nombreux cancers ou certains troubles liés au vieillissement. De récentes études ont prouvé son efficacité, comme adjuvant, dans le traitement du SIDA. Nos besoins sont faibles, mais les carences sont fréquentes lorsque le sol est pauvre.

CI-DESSUS *Riche source en sélénium, les oignons peuvent participer à la prévention du cancer et des maladies cardiaques.*

POSOLOGIE

Pour une stimulation immunitaire et des effets anticarcinogènes, entre 400 et 1000 mcg sont prescrits ; mais de 500 à 200 mcg suffisent. Associez le sélénium à la vitamine E (entre 30 et 400 ui) pour un effet optimal, la meilleure forme de complément étant une levure riche en sélénium ou en L-sélénométhionine.

QUELQUES DONNÉES   ANC : de 50 à 200 mcg

Le sélénium est un oligo-élément essentiel récemment reconnu comme l'un des plus importants nutriments. C'est un antioxydant vital pour le métabolisme humain (*voir* pages 18 et 19). Il protège contre un certain nombre de cancers et autres maladies, liées notamment au vieillissement (maladie cardiaque, cancer et arthrite). Il est également partiellement efficace dans le traitement et la prévention de certains troubles immunodéficitaires comme le VIH ou le SIDA. Si les besoins en sélénium sont peu élevés, celui-ci est essentiel à la protection des membranes cellulaires.

- Antioxydant.
- Renforce le système immunitaire.
- Prévient de nombreux cancers.
- Améliore les fonctions hépatiques.
- Entretient une bonne vue.
- Favorise la santé des cheveux et de la peau.
- Protège contre les maladies cardiaques et circulatoires.
- Retarde le vieillissement.
- Soutient les traitements de désintoxication contre l'alcool, certaines drogues, le tabac, certaines graisses.
- Accroît l'activité sexuelle masculine.

Les symptômes de carence
Cataractes, problèmes de croissance, maladies cardiaques, immunité et résistance réduite aux infections, inflammation des muscles, fertilité réduite chez les hommes, taches de vieillesse, évolutions cancéreuses et difficultés à se désintoxiquer.

Les bonnes sources
Germes de blé, germes de son, thon, oignon, pain complet, tomates et brocolis.

Les indications thérapeutiques
Pellicules, cancers, acné, arthrite, asthme, mobilité du sperme, fonctions thyroïdiennes, troubles rénaux, SIDA, dystrophie musculaire, hépatite, épilepsie.

CI-DESSOUS *Le thon contient du sélénium. Mangez-en afin de renforcer votre système immunitaire.*

CI-DESSUS *Le sélénium préviendrait certains cancers.*

REMARQUES

❖ Toxique en faible dose : prêtez attention à des ongles noircis ou à une odeur d'ail s'exhalant de la peau et de l'haleine.
❖ Les régimes alimentaires trop riches en produits raffinés sont moins riches en sélénium.
❖ Les céréales sont dépendantes du taux de sélénium contenu dans le sol dans lequel elles poussent. Parmi les pays dont les sols sont pauvres en sélénium se trouvent la Grande-Bretagne, la Finlande, la Nouvelle-Zélande et la Chine. Les spécialistes recommandent de manger des pains confectionnés avec des céréales en provenance de régions dont le sol est riche en sélénium. En cas d'impossibilité, ayez recours à des compléments quotidiens.

Vanadium

V

Le vanadium est un autre oligo-élément récemment reconnu comme indispensable (voir le sélénium). Les psychoses maniaco-dépressives pouvant être liées à un excédent en vanadium, un dosage correct peut apporter une réponse. Pris en dose adéquate, il intervient dans le processus d'équilibre entre le sodium et le potassium dans l'organisme.

POSOLOGIE

Il n'existe pas de compléments alimentaires bien que certains produits multivitaminés et minéralisés récents contiennent de faibles doses de cet élément.

CI-CONTRE *Le vanadium était prescrit dès le début du XXe siècle par des médecins français, mais en doses qui étaient toxiques.*

QUELQUES DONNÉES (ANC: environ 4 mg)

Le vanadium est un oligo-élément récemment reconnu pour ses bienfaits. Au début du siècle, certains médecins français pensaient avoir découvert la panacée, mais les doses prescrites étaient toxiques. Aujourd'hui, on sait qu'une dose trop élevée peut entraîner des psychoses maniaco-dépressives, ce qui apporte une nouvelle réponse à cette maladie mal comprise. Le vanadium serait impliqué dans la minéralisation osseuse et possède des propriétés proches de celles de l'insuline. Le vanadium peut aussi limiter l'activité du sodium, et donc équilibrer les taux de sodium et de potassium dans l'organisme.

- Ralentit la formation du cholestérol dans les vaisseaux sanguins.
- Prévient les maladies cardiaques et infarctus.
- Aide à la prévention des caries dentaires.
- Réduit l'hypertension.
- Régule la glycémie.

Symptômes de carence
Inconnus.

Les bonnes sources
Persil, radis, laitue, homard, gélatine.

Les indications thérapeutiques
De manière expérimentale : le diabète.

CI-DESSUS
Afin d'augmenter votre taux naturel en vanadium, mangez des radis.

REMARQUES

❖ Très toxique, le vanadium, surdosé, peut déclencher des psychoses maniaco-dépressives.
❖ Des quantités élevées en vitamine C réduiraient le taux de vanadium dans l'organisme.
❖ Le vanadium contrarie les effets du chrome et peut entraîner une carence lorsque la posologie est dépassée. Les aliments pauvres en chrome et riches en vanadium sont entre autres : le lait écrémé, le poisson, les fruits de mer, et les poulets élevés en batterie.

CI-DESSUS *Le persil et le homard sont les meilleures sources en vanadium.*

Les acides aminés

Les acides aminés sont les constituants élémentaires des protéines.
Ils sont indispensables à la formation de tous les tissus sans exception.
Sur les vingt acides aminés naturel, huit ne peuvent être fabriqués
par l'homme, qui doit les puiser dans son alimentation. Quatorze sont
bien connus et peuvent être utilisés en complément, sur avis médical.

Les acides aminés jouent un rôle essentiel. Il en existe beaucoup : vingt d'entre eux sont les principaux constituants des protéines ; sur ces vingt, huit sont considérés comme étant des nutriments essentiels, c'est-à-dire nécessaires au régime alimentaire.

Les protéines sont une substance indispensable à notre alimentation parce qu'elles sont constituées d'acides aminés. Sur le plan nutritionnel, on parle de protéines complètes lorsque celles-ci contiennent les bonnes proportions d'acides aminés que l'organisme ne peut pas synthétiser. Consommer une bonne association de protéines, certaines étant pauvres dans un acide aminé mais riches dans un autre apporte l'équilibre nécessaire.

Certains acides aminés sont directement utilisés comme composants dans la synthèse de nouvelles protéines tandis que d'autres produisent de l'énergie. Le surplus protéinique est éliminé dans les urines sous forme d'urée ou de déchets azotés.

Les acides aminés sont essentiels à la fabrication de presque tous les éléments de l'organisme : cheveux, peau, os, tissus organiques, anticorps, hormones, enzymes et sang. Les spécialistes recommandent de ne pas prendre des compléments sans avis médical.

L-ARGININE

• Renforce l'immunité.
• Combattrait le cancer en empêchant la croissance d'un certain nombre de tumeurs.
• Participe au développement musculaire et à la combustion des graisses en stimulant l'hypophyse afin qu'elle sécrète l'hormone de croissance.
• Favorise la cicatrisation des brûlures et des blessures.
• Aide à protéger le foie et à éliminer les substances nocives.
• Augmente la numération des spermatozoïdes et favorise donc la fertilité masculine.

• L'arginine est un acide aminé non essentiel, il peut donc être synthétisé par l'organisme. Nous n'avons pas besoin d'en ajouter à notre alimentation. Cependant, les enfants en ont particulièrement besoin.
• L'arginine avec la lysine peut limiter les crises d'herpès.
• Ses meilleures sources sont : les céréales, le chocolat, les noix, les noisettes, les amandes.
• On ne connaît pas la dose optimale, mais on sait qu'en complément elle est inoffensive jusqu'à 1,5 g.

NOIX DU BRESIL

CI-DESSUS *et* CI-CONTRE *Les variétés de noix et les céréales constituent de bonnes sources de L-arginine et peuvent renforcer les défenses immunitaires.*

FLOCONS
DE MAÏS

ATTENTION

Absorbez l'arginine à jeun et en dose raisonnable (une posologie trop élevée et prolongée peut entraîner des perturbations mentales, métaboliques ; des nausées et des diarrhées). Cela peut être dangereux pour les enfants et les personnes sensibles du foie et des reins.

L-ACIDE ASPARTIQUE

• Contient de l'ammoniaque, ce qui aide à protéger le système nerveux central.

• Aide à traiter la fatigue.

• Peut renforcer l'endurance.

• L'acide aspartique, classé dans la famille des acides aminés non essentiels, est utilisé depuis de nombreuses années dans le traitement de la fatigue chronique. Des études confirment l'efficacité des acides aminés dans l'augmentation de l'énergie. Il apporte de l'aide dans les cures de désintoxication.

• Il existe des compléments en comprimé de 200 à 500 mg. Si votre médecin ou votre nutritionniste vous en prescrit, en prendre trois fois par jour avec de l'eau ou un jus de fruits.

ATTENTION

Ne l'associez pas avec des protéines comme le lait. Consultez votre médecin si vous souhaitez en prendre plus de 1 g.

COMPLÉMENT D'ACIDE ASPARTIQUE

L-GLUTAMINE

• Peut accélérer la guérison des ulcères de l'estomac.

• Contre la dépression.

• Stimule le mental.

• Peut traiter et prévenir les colites.

• Le glutamate est un dérivé de l'acide glutamique qui réduirait les besoins en alcool.

• Les études ne révèlent pas vraiment s'il existe un réel bénéfice à absorber cet acide aminé, et il est déconseillé d'en prendre plus de 1 g par jour. Dans tous les cas, consultez votre médecin.

• Le glutamate est contre-indiqué dans certaines maladies nerveuses.

CI-DESSUS *La cystéine offre une protection contre les effets nocifs des rayons X.*

L-CYSTÉINE

• Peut contrer une intoxication au cuivre.

• Protège l'organisme de l'action des radicaux libres (*voir* pages 18 et 19).

• Peut aider à réparer les dommages causés par les excès de tabac et d'alcool.

• Offre une protection contre les radiations nucléaires et les rayons X.

• Peut aider à lutter contre l'arthrite.

• Prévient les effets du vieillissement.

• La cystéine contient du soufre qui fonctionne comme un antioxydant en protégeant les cellules de notre organisme.

• La cystéine défendrait le corps contre les polluants, mais il reste encore beaucoup à découvrir sur les effets de cet acide aminé.

• Ses sources sont : les œufs, la viande, les produits laitiers et certaines céréales.

• Pour un effet optimal, prenez-la en association avec de la vitamine C (trois doses de vitamine C pour une de cystéine). Une dose de 1 g est considérée comme inoffensive, il est néanmoins conseillé de consulter votre médecin.

ATTENTION

Les diabétiques ne devraient pas prendre de complément de cystéine, sauf avis médical contraire. La cystéine peut également causer des calculs rénaux, mais une prise élevée en vitamine C annule cet effet indésirable.

GLYCINE

• Participe à la stimulation de l'hypophyse.
• Efficace dans le traitement des mouvements spasmodiques, surtout chez les patients souffrant de sclérose en plaques.
• Peut favoriser le traitement d'une dystrophie musculaire progressive.
• Soulage l'hypoglycémie car elle stimule la libération du glucagon qui mobilise le glucogène rendant ainsi sa circulation possible dans le sang en tant que glucose.
• La glycine est considérée comme étant le plus simple des acides aminés ; ses propriétés, encore à l'étude, n'ont pas été toutes définies.
• Il est déconseillé de prendre cet acide aminé en complément sans avis médical. Les doses en dessous de 1 g semblent cependant inoffensives.

CI-DESSUS *La glycine peut être utilisée pour traiter les malades atteints de mouvements spasmodiques.*

L-HISTIDINE

• Utilisée dans le traitement des personnes souffrant d'arthrite et dont les analyses sanguines présentent une déficience dans cet acide aminé.
• Renforce l'activité des lymphocytes T qui peuvent être utiles pour combattre le SIDA et les autres maladies auto-immunes.
• C'est l'un des acides aminés les moins connus ; son rôle dans notre organisme est encore peu compris.
• Ne dépassez pas 1,5 g par jour sans avis médical.

L-CARNITINE

• Régule le métabolisme des graisses.
• Aide à décomposer les protéines raréfiées.
• Contrôle le taux de cétone dans le sang.
• La carnitine est considérée comme un acide aminé non essentiel, mais l'organisme en a besoin pour plusieurs fonctions.
• Son rôle le plus important est de réguler le métabolisme des graisses, en d'autres termes, à transporter les graisses au travers des membranes vers les parties qui consument l'énergie des cellules. Plus le taux de carnitine est élevé, plus vite les graisses sont transportées et transformées en énergie.
• De récentes études ont montré que la carnitine pouvait être utile dans le traitement de certaines formes de maladies cardiaques et dans les dystrophies musculaires.
• Parmi les sources alimentaires en carnitine, on trouve les viandes et les produits laitiers.
• Il est possible de la prendre sans risque en complément, entre 1,5 g et 2 g par jour, bien que les spécialistes conseillent de se limiter à une cure n'excédant pas une semaine à un mois maximum. On pense qu'une dose de 500 g par jour participe à l'amélioration des performances physiques.

LA CARNITINE RÉGULE LE MÉTABOLISME DES GRAISSES

CI-CONTRE *La carnitine participe à la circulation des graisses dans les parties des cellules consumant de l'énergie afin que ces graisses soient transformées en énergie.*

LA CARNITINE PEUT AIDER À PRÉVENIR LES TROUBLES CARDIAQUES

ELLE CONTRÔLE LE TAUX DE CÉTONE DANS LE SANG

L-LYSINE

• De fortes doses empêchent apparemment l'apparition de crises d'herpès répétées.
• Peut aider à la formation de la masse musculaire.
• Traite certaines formes de stérilités.
• Améliore la concentration.
• Acide aminé essentiel, nécessaire à la croissance, à la réparation des tissus et à la production des anticorps, des hormones et des enzymes.
• Disponible sous la forme de compléments, cet acide aminé est généralement puisé dans l'alimentation.

• On le trouve essentiellement dans le poisson, le lait, les haricots de Lima et toutes les protéines en apportent.
• Une dose quotidienne de 500 mg est inoffensive, mais certains spécialistes recommandent d'en prendre 1 g par jour pendant les repas.

ATTENTION

La L-lysine est déconseillée aux femmes enceintes ou qui allaitent, ainsi qu'aux enfants.

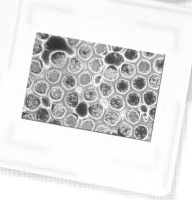

CI-DESSOUS *Le poisson est une excellente source de lysine et de méthionine.*

CI-DESSUS *De fortes doses de lysine peuvent éviter les crises d'herpès.*

L-MÉTHIONINE

• Participe à l'élimination des substances grasses de l'organisme.
• Peut aider à réguler le système nerveux.
• Associé à la choline et à l'acide folique, elle peut prévenir l'apparition de certaines tumeurs.
• La méthionine contient du soufre. Des études ont montré qu'elle évite l'encrassement des artères en dissolvant les substances grasses.

• On la trouve principalement dans les œufs, le lait, le foie, le poisson. Il n'est pas conseillé de la prendre en complément, sauf avis médical contraire.

CI-CONTRE *En mangeant des œufs, vous renforcerez naturellement la méthionine de votre organisme.*

L-PHÉNYLALANINE

• Soulage les dépressions.
• Contrôle les comportements de dépendance.
• Favorise l'activité mentale et l'excitation sexuelle.
• Réduit les fringales.
• Acide aminé essentiel, nécessaire à de nombreux processus biochimiques dont la synthèse des

neurotransmetteurs du cerveau.
• Présent dans le soja, les protéines, le fromage, les amandes, les cacahouètes et les graines de sésame.
• Cet acide aminé est généralement disponible en dose de 500 mg. L'avaler à jeun loin de tout apport protéique.

ATTENTION

Les personnes atteintes d'un cancer de la peau et les femmes enceintes ne doivent pas en prendre sous forme de complément. Les personnes qui souffrent d'hypertension ne devraient en absorber que sous contrôle médical. Incompatible avec certains antidépresseurs.

CI-DESSOUS *La taurine
se trouve seulement dans
les produits animaux
(poissons, viandes).*

DL-PHÉNYLALANINE

• Antalgique naturel contre les douleurs chroniques et certains troubles comme les migraines, les névralgies et les crampes musculaires des membres inférieurs.

• Antidépresseur.

• Cet acide aminé est une forme de phénylalanine constitué en proportions égales en phénylalanine D (synthétique) et en phénylalanine L (naturelle).

• Elle stimule la production d'endorphines (antalgiques produits par l'organisme). De nombreuses personnes insensibles aux antalgiques conventionnels réagissent à la DL-phénylalanine. Son action s'accentue avec le temps.

• Ne pas confondre avec l'acide aminé L-phénylalanine.

• Disponible en comprimés de 375 mg, à prendre 6 fois par jour (dose maximale de 1,5 g). Ne pas prendre de dose plus élevée sans avis médical. Posologie habituelle : deux à trois fois par jour avant les repas.

ATTENTION

Contre-indiquée aux femmes enceintes et aux personnes souffrant de phénylcétonurie. Elle peut faire monter la tension ; consulter votre médecin si vous souffrez de troubles circulatoires.

CI-DESSOUS *La taurine se trouve seulement dans les produits animaux (poissons, viandes).*

TAURINE

• Antioxydant doux.

• Associé au zinc, elle protège contre les cataractes.

• Régule l'activité nerveuse, musculaire et électrique.

• Acide aminé non essentiel, la taurine est produite par l'organisme. Ses rôles principaux sont de réguler le fonctionnement des nerfs et des muscles, et d'aider à coordonner les neurotransmissions.

• Des études menées sur des animaux ont montré qu'un régime alimentaire faible en taurine pouvait entraîner une dégénérescence de la rétine et des troubles de la vue.

• Trop de taurine peut déclencher une dépression ou d'autres symptômes.

• Des doses de 3 g traitent l'hypertension, l'épilepsie et divers troubles associés à la vue.

• On trouve la taurine dans la viande, le poisson et les œufs, non dans les végétaux.

• La dose conseillée se situe entre 50 et 100 mg, à prendre deux à trois fois par semaine.

• Non conseillée aux femmes enceintes ou allaitant.

LA DLPA PEUT APAISER LES MIGRAINES

CI-CONTRE *La DL-phénylalanine est un antalgique naturel qui peut être efficace dans le traitement des maux de tête sévères et des migraines.*

L-TRYPTOPHANE

• Peut favoriser le sommeil et prévenir le syndrome du décalage horaire.
• Réduit la sensibilité à la douleur.
• Diminue les besoins d'alcool.
• Antidépresseur naturel, peut apaiser les crises d'angoisse et d'anxiété, doit être pris entre les repas avec un jus de fruits ou de l'eau (loin des protéines).
• Cet acide aminé essentiel est utilisé par le cerveau, avec de nombreuses vitamines et minéraux, pour produire la sérotonine.
• L'un des premiers acides aminés à être disponible sur le marché sous la forme de complément.
• On le trouve principalement dans le fromage frais, le lait, la viande, le poisson, la dinde, les bananes et toutes les protéines en général.
• Pour favoriser le sommeil, votre médecin pourra en prescrire 500 mg associés à de la vitamine B6, de la niacinamide et du magnésium, une heure avant le coucher.

CI-DESSOUS *Prenez le tryptophane et la tyrosine avec un jus de fruit ou de l'eau.*

ATTENTION

Ne pas absorber de tyrosine si vous souffrez de migraines, de maux de tête ou si vous êtes sous antidépresseur. Les personnes souffrant d'hypertension ou de mélanome ne devraient pas ingérer de tyrosine en complément sans avis médical favorable. La tyrosine est déconseillée aux femmes enceintes ou qui allaitent.

L-TYROSINE

• Détend, favorise l'activité mentale et réduit les symptômes de tension.
• Agit comme antidépresseur.
• Apaise les symptômes émotionnels dus aux troubles prémenstruels.
• Peut aider à la désintoxication de la cocaïne et autres drogues.
• N'est pas un acide aminé essentiel : il est synthétisé par l'organisme.
• La tyrosine agit sur de nombreux neurotransmetteurs du cerveau.
• À prendre avec un jus de fruit ou de l'eau, à jeun (ne pas absorber avec des protéines comme du lait par exemple). Certains spécialistes conseillent de l'associer à 25 mg de vitamine B6 pour renforcer son efficacité.

ATTENTION

Ne pas absorber de tyrosine si vous êtes sujets aux migraines, aux maux de tête, ou si vous êtes sous antidépresseurs. Les personnes souffrant d'hypertension ou de mélanome ne devraient pas absorber de tyrosine en complément sans avis médical. La tyrosine n'est pas conseillée aux femmes enceintes ou qui allaitent.

CI-DESSUS *Mangez du fromage frais si vous souhaitez augmenter de manière naturelle votre apport en tryptophane.*

Algues

Les algues sont des plantes qui poussent dans l'eau. La spiruline, minuscule plante aquatique, est probablement l'algue la plus importante en terme de santé. Riche en protéines, elle contient de nombreux nutriments; les végétariens l'apprécient particulièrement. Pour les Aztèques, elle constituait un aliment de base. Les algues comportent de nombreuses qualités, elles préviendraient certains cancers.

CI-CONTRE
ET CI-DESSOUS
Depuis des milliers d'années, les algues sont utilisées pour leurs vertus thérapeutiques.

LAITUE DE MER

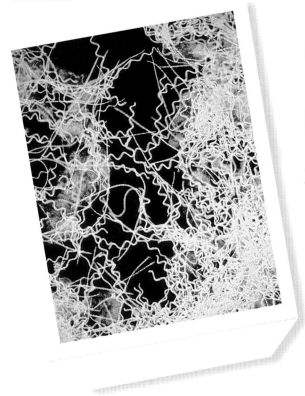

QUELQUES DONNÉES

- **Riches en nutriments et en protéines (très utiles aux végétariens).**
- **Peuvent couper l'appétit.**
- **Entretiennent la santé de la peau et traitent les problèmes dermatologiques.**
- **Contribuent à maintenir des intestins en bonne santé.**
- **Propriétés toniques.**
- **On leur alloue des propriétés anticancéreuses.**

- Les spirulines sont des algues ou des bactéries bleu-vert, riches en acide gamma-linolénique (*voir* pages 80 et 81) et en de nombreux nutriments dont le bêta-carotène.
- Alimentation de base des Aztèques, elles sont aujourd'hui commercialisées comme complément alimentaire riche en protéines.
- Des cas de contamination par les algues ont récemment été signalés : les plantes concernées avaient poussé en plein air dans des lacs ouverts. Les algues qui poussent en eau profonde risquent moins d'être contaminées, elles sont donc considérées comme plus saines.
- Les algues constituent de nombreuses préparations alimentaires, médicamenteuses et cosmétiques. Leurs propriétés thérapeutiques sont exploitées depuis des milliers d'années.
- Riches en iode, on les utilise dans le monde entier dans le traitement des goitres. Elles posséderaient des vertus antivirales, et certaines études auraient montré qu'elles pourraient prévenir le cancer.
- Elles réduisent les effets nocifs des carcinogènes, dont les matériaux radioactifs, elles sont donc précieuses pour réduire les troubles provoqués par les traitements chimiothérapiques et radiothérapiques.
- Antiacides naturels, elles sont utilisées dans le traitement des troubles intestinaux.

CI-CONTRE
La spiruline est une algue bleu-vert riche en acide gamma-linolénique. Elle pousse en milieu aquatique.

ALGUE COMESTIBLE

Coenzyme Q10

Le coenzyme Q10, parfois appelé vitamine Q,, est une substance proche des vitamines. Présent dans de nombreux aliments et dans chaque cellule de notre organisme, il est particulièrement concentré dans le foie et le cœur. Il joue un rôle dans la fonction cellulaire et pourrait intervenir dans le traitement de l'obésité, du diabète et de la maladie d'Alzheimer.

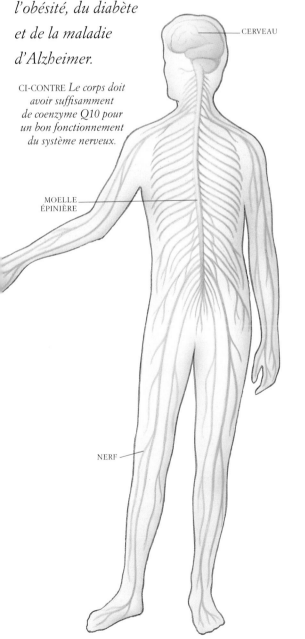

CI-CONTRE *Le corps doit avoir suffisamment de coenzyme Q10 pour un bon fonctionnement du système nerveux.*

CERVEAU

MOELLE ÉPINIÈRE

NERF

QUELQUES DONNÉES

- **Renforce l'immunité.**
- **Améliore le métabolisme du muscle cardiaque.**
- **Peut prévenir les insuffisances coronariennes et les infarctus.**
- **Antivieillissement.**
- **Nécessaire au bon fonctionnement du système nerveux et des cellules du cerveau.**
- **Stimulant.**
- **Intervient dans le traitement des problèmes gingivaux.**

- Le coenzyme Q10 est une substance proche des vitamines, présente dans toutes les cellules du corps. Important sur le plan biologique, il contribue au système par lequel les électrons circulent dans les cellules au cours du processus de production d'énergie. En son absence, la cellule ne peut pas fonctionner normalement, la vitesse de production des cellules musculaires est alors affectée.

- Le coenzyme Q10 est particulièrement concentré dans le foie et le cœur.

- Il stimule le système immunitaire et peut être utile dans le traitement de l'obésité, du diabète et de la maladie d'Alzheimer.

- Le coenzyme Q10 se trouve dans la viande, les épinards, les huiles végétales poly-insaturées et les poissons d'eaux froides, comme le thon et les sardines. Il n'existe pas de posologie type recommandée, mais un apport quotidien entre 15 et 30 mg est conseillé.

CI-DESSOUS *Le coenzyme Q10 se trouve naturellement dans les poissons d'eaux froides comme le thon. Il renforce le système immunitaire.*

Produits des abeilles

Les abeilles fabriquent trois sortes de produits bénéfiques à la santé de l'homme (en dehors du miel, bien évidemment) : le pollen ; la propolis, gomme prélevée sur les écailles des bourgeons pour souder les ruches ; la gelée royale, produite

par les abeilles ouvrières pour nourrir la reine. Les personnes allergiques à leurs piqûres devront prendre ces produits avec précaution.

POLLEN DE FLEURS ET DES ABEILLES

- **Riche en acides aminés et en protéines.**
- **Aide à freiner les appétits désordonnés.**
- **Améliore les problèmes cutanés et retarde l'effet du vieillissement.**
- **Peut aider à soigner les problèmes de prostate.**
- **Stimulant.**
- **Régule l'activité intestinale.**
- **Renforce l'immunité et diminue les allergies.**

• Les spores, qui produisent du pollen, sont localisés dans les étamines de fleurs. Le pollen des fleurs serait plus pur que celui des abeilles, présent dans la ruche. Riche en protéines et en acides aminés, il constitue, avec le miel, l'aliment de base des abeilles, excepté pour la reine (*voir* la gelée royale).

• Les vertus thérapeutiques du pollen sont connues et utilisées depuis des siècles dans le monde entier.

• Le miel non pasteurisé contient de petites quantités de pollen des abeilles. Des doses de 400 mg par jour semblent adéquates. Consommez toujours le pollen avec d'autres aliments.

CI-DESSUS
Le pollen, la gelée royale et la propolis sont tous les trois produits par les abeilles.

CI-DESSOUS
Le pollen d'abeille se trouve dans la ruche et forme le régime de base des ouvrières.

ATTENTION

Si vous êtes sujet au rhume des foins ou allergique aux piqûres d'abeilles, vous pouvez également être allergique au pollen de fleurs et des abeilles. Consultez votre médecin avant de prendre ce complément.

CI-DESSOUS
Le miel non pasteurisé contient une petite quantité de pollen des abeilles. Il constitue l'un des meilleurs remèdes alimentaires.

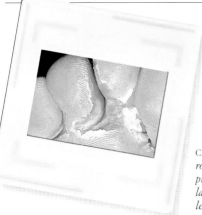

CI-CONTRE *La gelée royale, qui possède des propriétés contrariant la levure, peut prévenir le pied d'athlète.*

GELÉE ROYALE

- Antibactériologique.
- Pourrait prévenir le développement de la leucémie.
- Contre les effets de la levure, empêchant les crises de muguet ou les pieds d'athlète.
- Contient de la testostérone (hormone sexuelle mâle) qui favorise la libido.
- Efficace dans le traitement de certaines stérilités.
- Peut être utile dans le traitement du syndrome d'une fatigue chronique et de la dystrophie musculaire.
- Réduit les allergies.
- Renforce la résistance de l'organisme contre les effets secondaires de la chimiothérapie et de la radiothérapie.
- Contrôle le taux de cholestérol dans le sang.
- Renforce le système immunitaire.
- Efficace dans le traitement des problèmes dermatologiques, dont l'eczéma et l'acné.
- Combinée à l'acide pantothénique, elle soulage certaines manifestations arthritiques.

• La gelée royale est reconnue et utilisée depuis des milliers d'années pour son action sur la santé et ses propriétés rajeunissantes. Elle est riche en vitamines, en acides aminés et en minéraux.
• Elle constitue une excellente source en acides gras qui, en même temps, favorisent la vitalité et agissent comme un tranquillisant naturel.
• Elle est sécrétée par les glandes salivaires des abeilles ouvrières pour nourrir et stimuler la croissance de la reine.
• Les comprimés de gelée royale contiennent entre 100 et 500 mg de produit. La posologie optimale est de 150 mg par jour. Plus efficace lorsqu'elle est fraîche, elle est alors aussi plus onéreuse.

COMPLÉMENT
DE GELÉE ROYALE

PROPOLIS

- Renforce l'immunité.
- Accélère la cicatrisation.
- Anesthésiant naturel.
- Réduit le cholestérol dans le sang.
- Combat les effets du rhume.
- Antibiotique naturel.

• Les abeilles utilisent la propolis, substance gommeuse prélevée sur les écailles des bourgeons, pour obturer les fentes des ruches. C'est un mélange de cire, de résine, d'huile balsamique et de pollen. Elle agirait comme un antibiotique naturel, un bactéricide, et accélérerait ainsi la cicatrisation. Elle est riche en bioflavonoïdes.
• Disponible en comprimés et en sirop, elle ne semble pas comporter d'effets nocifs. Consultez votre médecin pour convenir d'une posologie adaptée.

CI-DESSOUS *Les spores qui produisent le pollen des plantes en floraisons sont présents dans les étamines des fleurs.*

ATTENTION

Riche en pollen, ce produit peut entraîner certaines réactions chez les personnes sujettes au rhume des foins ou allergiques aux piqûres d'abeilles. Consultez votre médecin avant toute utilisation.

CI-CONTRE *La propolis a des propriétés à la fois antibiotiques et bactériologiques. C'est un bon cicatrisant.*

Bactéries probiotiques

*Un certain nombre de bactéries « saines »
contribuent à l'équilibre de l'acidité (pH)
de nos intestins et assurent une santé optimale
à notre flore intestinale. Elles peuvent
aussi aider à équilibrer les micro-organismes
présents dans le vagin.*

*Les plus connues parmi ces bactéries sont
le* Lactobacillus acidophilus *et la* Bifido-
bacteria bifidum, *ou plus simplement
acidophilus et bifidus. Il existe maintenant un
terme générique regroupant ces organismes
sains appelés : « probiotiques ».*

*Les bactéries probiotiques sont toutes non
toxiques. Afin d'entretenir une paroi intestinale
saine, il est recommandé de prendre chaque jour
un complément contenant deux ou trois
milliards d'organismes viables.*

CI-CONTRE
*Les yaourts fermentés
constituent
la meilleure source
d'acidophilus.
Ils sont vivement
recommandés
aux enfants.*

ACIDOPHILUS

- **Conserve les intestins en bonne santé.**
- **Prévient les infections vaginales.**
- **Permet une assimilation des nutriments alimentaires.**
- **.Peut empêcher une mauvaise haleine.**
- **Soulage les problèmes de constipation et de flatulence.**
- **Contribue au traitement contre l'acné et autres problèmes dermatologiques.**

- L'acidophilus est une source de « saines » bactéries pour l'intestin. Celles-ci jouent un rôle important dans notre organisme. Elles meurent lorsqu'elles ne font pas l'objet d'une attention quotidienne, entraînant de nombreux problèmes.

Des spécialistes de la santé recommandent l'absorbtion d'acidophilus lors de traitements antibiotiques ; ceux-ci, peuvent en effet entraîner des diarrhées et détruire la flore intestinale, voire favoriser le développement de champignons (mycoses). L'acidophilus contribue aussi à la bonne santé vaginale.
- On le trouve principalement dans les yaourts natures fermentés, mais il est également disponible en comprimés à croquer. Conservez ces comprimés au réfrigérateur. L'acidophilus, inoffensif pour les enfants, peut être consommé sans restriction. Les praticiens recommandent une prise quotidienne.

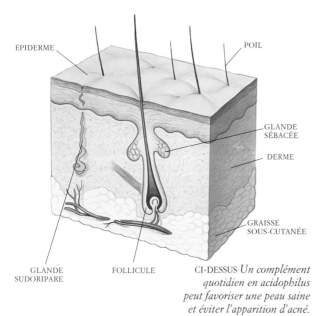

ÉPIDERME

POIL

GLANDE SÉBACÉE

DERME

GRAISSE SOUS-CUTANÉE

GLANDE SUDORIPARE

FOLLICULE

CI-DESSUS *Un complément
quotidien en acidophilus
peut favoriser une peau saine
et éviter l'apparition d'acné.*

CI-CONTRE *Notre organisme a besoin de bactéries saines dans les intestins, appelées flore. La quantité nécessaire peut s'épuiser après une prise d'antibiotiques.*

CI-DESSOUS *L'acidophilus est disponible en tablettes ou comprimés à mâcher, souvent parfumés à la vanille. Les conserver au réfrigérateur.*

BIFIDUS

- **Réduit le taux de cholestérol.**
- **Nécessaire à la synthèse des vitamines B.**
- **Contre les organismes nocifs présents dans le corps.**
- **Entretient des intestins sains.**

• Les produits riches en acidophilus peuvent aussi contenir du bifidus et autres types de bactéries saines. Le bifidus favorise un environnement intestinal sain.

• On trouve les bifidobactéries dans le lait maternel qui, en quelques jours, s'installent dans les intestins des nouveau-nés. Contrairement à l'acidophilus, communément puisé dans les aliments, les bifidobactéries sont plus difficiles à puiser en grande quantité dans notre nourriture, en dehors des produits lactés spécifiques.

CI-CONTRE
Le lait maternel apporte aux nouveau-nés les bifidobactéries nécessaires.

Échinacée

Cette plante est saluée par certains comme étant LA panacée des années 1990. Des études ont montré qu'elle renforçait l'immunité, prévenait les infections et réduisait la durée d'une maladie. Elle aiderait également à accélérer la convalescence, posséderait des vertus anti-inflammatoires et antiseptiques, sans compter son action stimulante sur le système nerveux. C'est une herbe aux multiples propriétés qui, lorsqu'elle est prise correctement, peut être un réel bienfait pour notre santé.

QUELQUES DONNÉES

- **Action antiseptique.**
- **Active les globules blancs.**
- **Propriétés antivirales.**
- **Renforce la résistance aux infections.**
- **Renforce le système immunitaire.**

• L'échinacée est une plante aux multiples propriétés ; absorbée par voie buccale ou appliquée en usage externe, elle combat les infections virales et bactériennes. Elle contribue à faire baisser la fièvre et calme les réactions allergiques. C'est l'un des stimulants immuns les plus réputés ; des études ont démontré son efficacité dans la guérison et la prévention des rhumes, des infections respiratoires, des grippes, des candidoses et de l'herpès.

• Elle stimule également le thymus, la moelle épinière et la rate afin qu'ils produisent davantage de cellules immunitaires.

• L'échinacée peut être prise lyophilisée, sous forme de teinture ou en extrait. La posologie est de : 25 gouttes en teinture mère trois fois par jour, 750 mg de racine séchée ou 300 mg d'extrait séché.

• Il est préférable d'en prendre fréquemment, à petites doses. En cure, n'en prendre que 6 jours sur 7, ou 3 semaines par mois pour un effet optimal.

CI-DESSOUS *L'échinacée est un complément idéal pour combattre les maladies infectieuses comme rhumes et grippes.*

POSSÈDE DES VERTUS ANTIVIRALES

FAIT BAISSER LA TEMPÉRATURE

RENFORCE LE SYSTÈME IMMUNITAIRE

CI-CONTRE *L'échinacée peut être absorbée lyophilisée ou en teinture mère. Prendre de petites doses assez souvent.*

FLACON DE TEINTURE D'ÉCHINACÉE

Ail

L'ail appartient à la famille des oignons, c'est l'une des plus vieilles plantes cultivées au monde. Il est depuis longtemps utilisé pour ses vertus thérapeutiques, notamment le renforcement de l'immunité et d'une santé optimale. L'ail frais peut accompagner le repas, et l'huile d'ail peut être absorbée en gélule. Il est particulièrement utile dans la prévention des maladies coronariennes.

CI-DESSOUS *Accommodez vos plats avec de l'ail cru ou légèrement cuit pour une efficacité optimale.*

QUELQUES DONNÉES

- **Purge le sang et participe à l'entretien de la flore intestinale.**
- **Fait baisser la fièvre.**
- **Antiseptique aux actions antibiotiques et antifongiques.**
- **Tonifie le cœur et le système circulatoire.**
- **Renforce le système immunitaire.**
- **Anti-hypertenseur.**
- **Pourrait prévenir certains cancers, surtout celui de l'estomac.**
- **Soulage les infections de l'estomac et du système respiratoire.**
- **Prévient les maladies cardiaques et réduit les risques d'artériosclérose.**
- **Antioxydant.**
- **Décongestionnant.**

- L'ail est l'une des plantes médicinales les mieux connues et les plus utilisées. C'est aussi l'une des plus vieilles plantes cultivées.
- Sa popularité dans les régions méditerranéennes, où l'on constate moins de maladies cardiaques, a encouragé les chercheurs à étudier le rôle de l'ail dans la prévention de ces maladies. Ils découvrent que celui-ci réduit le taux de graisses dans le sang.
- L'ail a une odeur forte que certaines personnes trouvent repoussante, mais il possède tellement de qualités curatives et préventives qu'il est grandement conseillé de passer outre cet inconvénient social !
- Il existe des préparations à base d'ail qui coûtent moins chères et sont plus efficaces que certains médicaments conventionnels, c'est pourquoi son utilisation a récemment été plébiscitée par la profession médicale.
- L'ail est un ingrédient important en cuisine, mais la chaleur détruit ses vertus nutritives, utilisez-le cru, légèrement cuit ou en complément.
- La dose journalière conseillée est de 600 à 1 000 mg d'extrait ou concentré, et de 1 800 à 3 000 mg d'ail frais.

Ginkgo biloba

Si le ginkgo biloba, décrit comme le plus vieil arbre du monde, est utilisé dans la médecine traditionnelle chinoise depuis des milliers d'années, il est employé dans les thérapies occidentales depuis peu de temps.

C'est un antioxydant, qui renforcerait la mémoire et la concentration. Il est disponible en complément, seul ou associé à d'autres herbes médicinales.

QUELQUES DONNÉES

- **Améliore la force capillaire et la circulation.**
- **Effets bénéfiques sur l'alimentation du cerveau en sang.**
- **Puissant antioxydant.**
- **Réduit les dommages causés par une exposition aux radiations.**

• Le ginkgo biloba est l'une des plantes médicinales les plus recherchées. Les Chinois se servent de ses fruits et de ses feuilles depuis des milliers d'années pour soigner de nombreux problèmes de santé dont l'asthme, les allergies et la toux.
En Occident, plusieurs substances du ginkgo biloba ont été extraites puis synthétisées afin de composer des traitements curatifs contre l'asthme par exemple.
Le ginkgo biloba stimule aussi les fonctions cérébrales, la vivacité d'esprit et renforce la mémoire. Il active également la circulation dans le cerveau et les oreilles ; il peut aider à prévenir les vertiges, la perte de l'ouïe, l'acouphène, les infarctus et même les dépressions.

• C'est un puissant antioxydant qui peut, selon certaines études, être efficace dans le traitement contre l'impuissance.

• Les effets du ginkgo biloba sont dus à son taux élevé en bioflavonoïdes dont la quercétine, le kempférol et les proantocyanidines.

• La posologie conseillée s'élève à 40 mg, trois fois par jour.

CI-DESSUS *Les Chinois se servent du ginkgo depuis des milliers d'années pour guérir de nombreux problèmes de santé.*

CI-DESSOUS *Le ginkgo biloba, plante qui pousse en Extrême-Orient, est très prisé en Occident pour ses vertus thérapeutiques.*

Ginseng

Comme le ginkgo biloba, le ginseng était initialement employé en Asie. Cette racine, appelée aussi « racine de l'homme » à cause de son aspect, sert à alléger un grand nombre de troubles, du vieillissement à la faiblesse sexuelle, et à améliorer les capacités intellectuelles. Il s'adapte aux besoins spécifiques de l'organisme.

À DROITE ET CI-DESSOUS *Le ginseng se présente sous forme de capsules ou en poudre (la racine séchée est alors moulue).*

CAPSULES

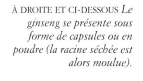

POUDRE

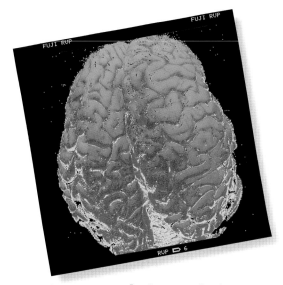

CI-DESSUS *Le ginseng est réputé pour son action sur les capacités intellectuelles et la mémoire.*

QUELQUES DONNÉES

- **Stimule le système nerveux.**
- **Favorise la sécrétion d'hormones.**
- **Hypocholestérolémique.**
- **Protège les cellules des effets nocifs des radiations et des toxines.**
- **Renforce la mémoire, la concentration et les capacités d'apprentissage.**
- **Normalise le fonctionnement physique et diminue les effets du stress.**
- **Améliore les fonctions de désintoxication hépathique.**
- **Renforce l'appétit, favorise la bonne humeur et le sommeil.**

- Le ginseng est une plante herbacée originaire d'Asie, *P. pseudoginseng,* dont la racine contient des stéroïdes. Il existe différentes sortes de ginseng, dont des variétés américaines, *P. quinquefolius* et *P. trifolius.*
- La racine du ginseng, considérée comme une véritable panacée depuis des millénaires, est particulièrement conseillée contre les cancers, les rhumatismes, le diabète, la faiblesse sexuelle et le vieillissement. La Chine et la Corée exportent le ginseng en Occident où sa popularité n'a cessé d'augmenter depuis quelques années. Les scientifiques russes ont isolé des substances du ginseng qui stimuleraient la sécrétion d'endocrines et tonifieraient le système cardio-vasculaire.
- Riche en vitamines, en acides aminés et en oligo-éléments, le ginseng agit sur le système cardio-vasculaire et le système nerveux central, favorisant la régulation de la tension artérielle et le maintien du taux de glucides nécessaire dans le sang. Il renforce le système immunitaire en agissant sur le thymus et la rate. Il active la circulation sanguine du cerveau.
- Il s'adapte en fonction des besoins de l'organisme.
- En médecine traditionnelle chinoise, il est utilisé pour accroître le « chi », l'énergie vitale du corps.
- Le ginseng sibérien remplit des fonctions complémentaires, dont celle de soulager le mal des transports par exemple, en normalisant la tension sanguine et en stimulant les globules blancs du système immunitaire.
- Pour un effet optimal, prenez le ginseng en cure pendant trois à quatre semaines.

RACINE DE GINSENG

Les acides gras essentiels

Les acides gras essentiels (AGE) sont des graisses indispensables au bon fonctionnement de l'organisme, mais que ce dernier ne produit pas. Ils renforcent les membranes des cellules et favorisent la croissance des muscles et des nerfs. Les huiles de poisson et d'onagre constituent les principales sources alimentaires en acides gras essentiels.

CI-DESSUS *Les graines de tournesol sont riches en huiles oméga-6, l'un des principaux acides gras.*

Les AGE, anti-inflammatoires naturels, sont efficaces dans le traitement de l'asthme, de l'arthrite et de nombreux problèmes de peau. En médecine, ils sont utilisés pour liquéfier le sang et empêcher la formation de caillots.

Les deux principaux acides gras sont l'acide linoléique et l'acide linolénique, aussi connus sous les appellations respectives huiles oméga-6 et oméga-3. Ils sont tous deux vitaux pour la structure et le fonctionnement du cerveau, du système nerveux, immunitaire, hormonal, cardio-vasculaire et cutané. Les premiers signes de carences sont une peau sèche, des yeux secs et une pépie anormale. Toutes les graines, mais plus particulièrement celles de sésame et de tournesol, sont riches en acide linoléique (oméga-6), tandis que le potiron et les graines de lin (graines de lin comestibles) sont riches en acide linolénique (oméga-3).

L'acide linoléique (oméga-6) est transformé dans l'organisme en deux substances : l'acide gamma-linolénique (AGL) et en acide di-homo-gamma-linolénique (DAGL), transformé à son tour en acide arachidonique (AA). L'acide linolénique (oméga-3) devient un acide éicosapenténoïque (AEP) et un acide docosahexénoïque (ADH). L'AEP et l'ADH se trouvent principalement dans les poissons gras tels que les sardines, les saumons, les harengs et les maquereaux. De plus, le DAGL, l'AA et l'AEP favorisent la production de la prostaglandine (*voir* page 81).

CI-CONTRE *Mangez du poisson, du saumon par exemple, si vous souhaitez augmenter votre apport en acides gras essentiels.*

HUILES DE POISSON

- **Annulent les effets de certains médicaments immunosuppressifs.**
- **Traitent les maladies rénales.**
- **Empêcheraient la progression de l'arthrite.**
- **Protègent contre l'hypertension.**
- **Préviennent les maladies cardio-vasculaires.**
- **Renforcent le traitement et préviennent le psoriasis.**

- Les huiles de poisson contiennent deux chaînes d'acides gras appelés acide éicosapenténoïque et acide docosahexénoïque qui modifient la synthèse de la prostaglandine, hormone ayant un effet régulateur sur l'organisme.

- Améliorant l'état général, elles sont utilisées en complément de nombreux traitements.
- Ces acides gras sont surtout présents dans des poissons comme le hareng, le saumon, la sardine, le thon, le cabillaud et les crustacés tels que les crevettes.
- Il est rarement utile de prendre les acides gras en complément, augmenter la consommation en poissons et fruits de mer satisfait l'apport quotidien nécessaire. Les personnes souffrant d'arthrite ou de psoriasis peuvent prendre un complément de 4 g par jour sous contrôle médical. Sans avis médical, la dose maximale peut atteindre 900 mg par jour.

ATTENTION

Les huiles de poisson, nocives pour les diabétiques, augmentent le taux de sucre dans le sang entraînant une chute de la sécrétion d'insuline.

L'HUILE D'ONAGRE

• Réduit l'effet de peau de serpent, de rougeurs et empêche le prurit, favorise la guérison des eczémas et peut être efficace dans le traitement du psoriasis.

• Hydrate les peaux sèches et assure aux membranes cellulaires de la peau une santé optimale. Nous savons maintenant avec certitude que cette huile retarde l'effet du vieillissement.

• Préviendrait l'apparition de la sclérose en plaques et semblerait particulièrement adaptée aux enfants atteints de cette maladie.

• Peut aider à traiter les problèmes de foie dus à l'alcool (cirrhose), l'hyperactivité chez les enfants et la mucoviscidose.

• Pourrait stimuler l'organisme en favorisant la conversion de la graisse en énergie : elle pourrait donc soigner l'obésité.

• Soulage les symptômes de déséquilibre hormonal causés parfois par les syndromes prémenstruels, la ménopause, en réduisant les symptômes de gonflements, de rétention d'eau, d'irritabilité et de dépression.

• Réduit l'inflammation de l'arthrite rhumatismale.

• A un effet immunosuppressif sur l'organisme.

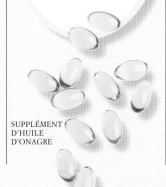

ATTENTION

Ne pas en absorber si vous souffrez d'épilepsie du lobe temporal ou de psychose maniaco-dépressive.

SUPPLÉMENT D'HUILE D'ONAGRE

• Les Américains de souche furent les premiers à reconnaître le potentiel de l'huile d'onagre en tant que soin ; ils préparaient des décoctions à partir des graines pour soigner les blessures.

• L'huile d'onagre est riche en acide gamma-linolénique (AGL). L'organisme est capable de produire l'AGL à partir des acides gras essentiels en transformant l'acide linoléique. L'huile d'onagre procure un acide linoléique naturel, transformé dans l'organisme en AGL, qui approvisionne l'organisme en AGL, de sorte qu'il n'ait pas à en produire énormément.

• Les acides gras essentiels possèdent de nombreuses fonctions, dont la fabrication des substances proches des hormones appelées prostaglandines, qui ont un effet important sur l'organisme (elles tonifient les vaisseaux sanguins, contrôlent l'action du système digestif et assurent le bon fonctionnement du cerveau).

• La prostaglandine peut aussi avoir des effets bénéfiques sur le système immunitaire.

• L'huile d'onagre se présente essentiellement sous forme de gélules, elle est aussi disponible en huile corporelle. Prenez-en 500 mg par jour pendant deux mois, puis tous les dix jours précédant les règles si vous souffrez de syndromes prémenstruels. En période de ménopause, la posologie conseillée s'élève de 2 000 à 4 000 mg par jour pendant un mois ; réduisez ensuite à 500 ou 1 000 mg par jour. Si vous êtes asthmatique, prenez deux comprimés de 500 mg trois fois par jour pendant trois à quatre mois, puis un comprimé trois fois par jour. Si votre traitement comporte déjà des stéroïdes, l'action de l'huile d'onagre sera annulée.

CI-CONTRE *Les Américains de souche font bouillir les graines d'onagre pour en faire un sirop aux vertus guérisseuses.*

CI-DESSUS *Les graines de la fleur d'onagre contiennent de l'acide gamma-linoléique.*

Fibres

Les fibres sont la partie non assimilable de la plante par l'organisme : elles sont le « squelette » qui tient la plante. Elles n'ont aucune valeur nutritive mais sont indispensables à notre alimentation. Elles remplissent l'estomac et actionnent le contenu des intestins en favorisant l'absorption des nutriments. En prendre trop accélérerait les mouvements intestinaux et empêcherait l'assimilation des nutriments.

CI-CONTRE
Les fibres protégeraient le côlon du cancer. L'abricot est une excellente source en fibres.

CI-DESSOUS
Le pain complet contient davantage de fibres que le pain blanc.

QUELQUES DONNÉES

- **Réduisent la production de cholestérol.**
- **Peuvent protéger contre certaines formes de maladies coronariennes.**
- **Aident à contrôler le diabète.**
- **Permettent de maîtriser le poids.**
- **Traitent les troubles intestinaux comme la diverticulose.**
- **Protégeraient contre le cancer du côlon.**

• La présence des fibres dans le régime alimentaire est primordiale bien que celles-ci n'aient aucune valeur nutritive. Composées de cellulose et d'autres substances non assimilables dans les aliments (pectine, gomme), elles suscitent un effort de mastication qui stimule la production de salive ; la masse « alimentaire » ajoutée alors à l'estomac et aux intestins ralentit la digestion qui concentre davantage de temps à l'absorption des nutriments. Les fibres favorisent le transit intestinal quotidien.

• Elles préviennent la constipation et autres problèmes comme la diverticulose. Des études ont montré qu'un régime alimentaire riche en fibres diminuerait les risques de cancer du côlon, du rectum et, semblerait-il, du sein ou de la prostate. En effet, les fibres aideraient à éliminer les substances potentiellement cancéreuses. Un apport suffisant en fibres peut également réduire les effets de certains radicaux libres.

• On trouve principalement les fibres dans les fruits, les légumes, le pain complet, les noix, les noisettes et les amandes, ainsi que dans les légumes secs. Un apport quotidien de 20 à 60 g est idéal. Vous pouvez les absorber sous forme de « fibres liquides » (4 à 6 g par jour), cela évitera des selles trop molles. Toujours les prendre avec beaucoup d'eau.

ATTENTION

Un régime trop riche en fibres alimentaires peut empêcher l'assimilation d'importants oligoéléments en accélérant inconsidérément le transit intestinal. Pour augmenter votre apport en fibres, prenez en prévention un bon complément vitaminé et minéral.

Polyphénols et flavonoïdes

Les polyphénols et les flavonoïdes sont des antioxydants. Le vin rouge est riche en polyphénols (le jus de raisin et le thé vert également), les flavonoïdes se trouvent essentiellement dans les agrumes. Ces antioxydants renforcent les parois capillaires et peuvent aider en cas de règles trop abondantes ou d'hémorragies. Comme tous les antioxydants, elles constituent de bons détoxicants.

CI-CONTRE *Le vin rouge contient des polyphénols qui protègent contre les hémorragies et peuvent aider à soigner les rhumes.*

CI-DESSOUS
Les agrumes sont une bonne source en flavonoïdes, surtout le centre fibreux et blanc du fruit.

QUELQUES DONNÉES

- **Réduisent les bleus et les hématomes chez les personnes sensibles.**
- **Protègent les parois capillaires.**
- **Protègent contre les hémorragies (dont les règles trop abondantes).**
- **Possèdent des propriétés antioxydantes (***voir* **pages 18 et 19) et stimulent les vertus antioxydantes de la vitamine C.**
- **Activité antivirale, anti-inflammatoire, antiallergique.**
- **Contribuent au traitement des rhumes.**

• Les polyphénols sont de puissants antioxydants associés aux tanins. Le thé vert et le jus de raisin sont riches en polyphénols. Il existe maintenant sur le marché des compléments contenant des extraits de ces substances.

• Les flavonoïdes, aussi appelées bioflavonoïdes ou flavines, étaient auparavant appelées vitamine P. Ce sont des antioxydants présents dans les aliments avec la vitamine C. Sans elles, les fleurs et les feuilles des plantes comestibles n'auraient pas de couleurs.

• Il existe 12 types basiques de flavonoïdes qui, en plus de leurs vertus antioxydantes, renforcent les parois capillaires et peuvent être efficaces dans le traitement des règles trop abondantes. Certaines flavonoïdes comme la quercétine, la rutine, le thé vert et le curcumin possèdent en outre des propriétés anti-inflammatoires qui favorisent la production de prostaglandines (*voir* page 81).

• On les trouve notamment dans les agrumes, les abricots, les cerises, les poivrons verts, les brocolis et les citrons.

• Non toxiques, leur efficacité est renforcée lorsqu'elles sont associées à de la vitamine C. Les compléments (entre 250 et 500 mg) se présentent sous forme de quercétine, généralement produit dérivé des algues, et de rutosine. Il existe des produits plus connus qui sont des bioflavonoïdes complexes et des bio-flavonoïdes individuels conjugués avec d'autres compléments, en général de la vitamine C, qui ont des effets préventifs. Ils sont disponibles en dosage de 500 à 1 000 mg.

• Certaines plantes sont également riches en poly-phénols et flavonoïdes, dont le ginkgo (*voir* page 82), l'aubépine, le chardon Marie et les airelles.

Des compléments alimentaires pour une forme éclatante

LES DERNIÈRES DÉCOUVERTES des études sur la nutrition ont montré que nous sommes de plus en plus nombreux à consommer des compléments alimentaires. Nos régimes, mêmes équilibrés, peuvent comporter des carences, et si nous voulons nous constituer un système immunitaire prêt à combattre la maladie, et entretenir un niveau d'énergie et intellectuel optimal, il nous faut puiser ces éléments par ailleurs.

Depuis 4 000 ans, nous savons que nourriture et santé sont liées, mais il a fallu attendre le XXe siècle pour isoler et clairement identifier les éléments vitaux. La médecine nutritionnelle, c'est-à-dire l'application des principes alimentaires à la prévention de certaines maladies, en vue d'une santé optimale, est considérée comme science depuis peu. Nous commençons à comprendre l'influence du mode de vie et de l'alimentation sur notre santé. Des études démontrent que les substances nutritives peuvent non seulement nous garder en forme en nous préservant de maladies occasionnées par des carences, mais aussi optimiser nos organes et notre organisme. Elles stimulent notre immunité et nos possibilités intellectuelles, prolongent notre espérance de vie, nous protègent, par exemple, de l'apparition de maladies cardio-vasculaires, de déficiences immunitaires et de certains cancers.

CI-DESSUS *Toute la famille peut profiter d'une thérapie nutritionnelle, du plus petit au plus âgé.*

CI-CONTRE *Des traitements sont élaborés pour les nourrissons et les jeunes enfants.*

DEMANDEZ CONSEIL

Prescrite par un bon praticien, la médecine nutritionnelle est l'une des thérapies parallèles les plus sûres. Préférez toujours une alimentation saine, équilibrée, pauvre en produits chimiques et ayant subi le moins de processus de raffinements possibles, à des régimes trop strictes. La thérapie nutritionnelle devrait toujours être entreprise sur les conseils d'un spécialiste informé de votre état physique et mental. Certains compléments sont contre-indiqués dans le cas de nombreux troubles où ils pourraient s'avérer nocifs, et il est primordial de tenir votre thérapeute informé. Tout le monde peut bénéficier d'une thérapie nutritionnelle : il existe des programmes adaptés aux nourrissons, aux enfants, aux femmes enceintes, aux personnes âgées et aux patients atteints de maladies chroniques graves.

DES COMPLÉMENTS EN TOUTE SÉCURITÉ

Si vous êtes attentif et suivez scrupuleusement votre traitement en vitamines, en minéraux et autres

VOTRE PROGRAMME ALIMENTAIRE FONCTIONNE-T-IL ?

Votre corps vous dira rapidement si votre traitement fonctionne. Vos symptômes reviennent-ils dès que vous arrêtez de prendre vos compléments ? Vous sentez-vous nauséeux ou souffrez-vous de douleurs à l'estomac après la prise de votre traitement ? Vous avez besoin de comprendre à quoi sert exactement chaque complément afin d'être en mesure de reconnaître les effets. Si vous ressentez différents symptômes, consultez un spécialiste sans attendre.

compléments, vous obtiendrez des effets positifs. Aucun médicament traditionnel ne sera aussi efficace et sain que les composés nutritionnels. L'apport vitaminique est excellent dans le traitement de toutes les maladies chroniques, même celles pour lesquelles aucun médicament efficace n'a encore été trouvé. En fait, les vitamines prises en doses équilibrées, sous la surveillance de praticiens compétents, peuvent aider à arrêter certains traitements allopathiques. Mais attention : votre généraliste ne vous prescrira jamais de compléments dans le but de soigner une maladie, il ne faut donc surtout pas interrompre un traitement en cours pour ne prendre exclusivement que des compléments, du moins sans en avoir informé votre médecin et un thérapeute compétent, si possible conventionné.

Certains signes vous avertiront des surdosages éventuels avant que toute réaction toxique grave ne se manifeste : peau sèche, migraines, pertes de cheveux, raideurs dans les articulations, picotements aux extrémités. Si l'un de ces symptômes

CI-DESSUS *Les compléments alimentaires peuvent guérir les troubles chroniques ; dans certains cas, ils peuvent aussi permettre de diminuer un traitement allopathique lourd.*

apparaît, arrêtez le traitement et consultez votre généraliste. Quoi qu'il en soit, ne suivez pas à la lettre toutes les informations délivrées dans cet ouvrage : il vaut mieux essayer et choisir le traitement qui semble le plus adapté à chacun.

COURGETTE

CHOU FRISÉ

POMME

RAISIN

ORANGE

POIRE

NAVET

POMMES DE TERRE

BANANE

CAROTTE

SUPPLÉMENT

CI-DESSOUS *Même un régime en apparence équilibré peut présenter des carences en vitamines et minéraux nécessaires à une santé optimale.*

Renforcer son système immunitaire

Un SYSTÈME IMMUNITAIRE renforcé prévient l'apparition de certaines maladies et allergies; il vous aide à combattre les infections et assure une meilleure convalescence. De nombreux éléments nutritionnels ont le pouvoir de l'optimiser et de le renforcer.

Le système immunitaire défend l'organisme contre les substances étrangères, telles que les micro-organismes (bactéries, fongus, virus et parasites), les molécules potentiellement toxiques, ou encore des cellules anormales (bénignes ou malignes) dans des circonstances normales. Il combat les organismes étrangers en produisant des anticorps qui détruisent ces éléments et neutralisent leurs toxines. L'un de ses principaux rôles est de surveiller les cellules de l'organisme afin de s'assurer que tout est normal.

FACTEURS AGGRAVANTS

Votre système immunitaire peut être affaibli par les facteurs suivants:
- blessures
- opérations
- surconsommation d'antibiotiques qui peut partiellement détruire le système immunitaire et la flore intestinale
- certains médicaments
- certains troubles digestifs tels que la candidose, les carences enzymatiques et la constipation chronique
- régime appauvri
- pollution
- stress
- problèmes génétiques
- maladies
- faiblesses héréditaires

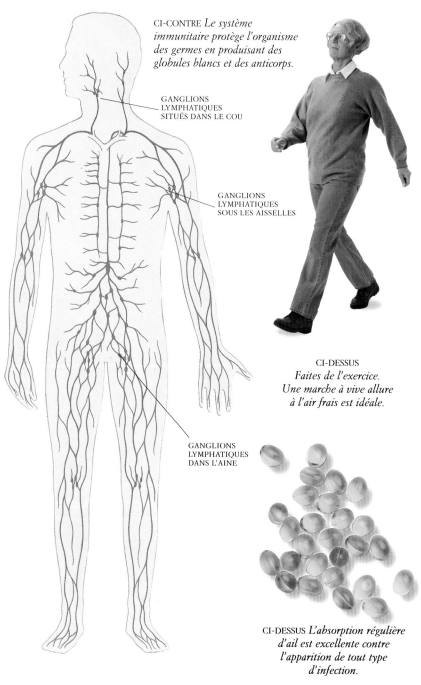

CI-CONTRE *Le système immunitaire protège l'organisme des germes en produisant des globules blancs et des anticorps.*

GANGLIONS LYMPHATIQUES SITUÉS DANS LE COU

GANGLIONS LYMPHATIQUES SOUS LES AISSELLES

GANGLIONS LYMPHATIQUES DANS L'AINE

CI-DESSUS
Faites de l'exercice. Une marche à vive allure à l'air frais est idéale.

CI-DESSUS *L'absorption régulière d'ail est excellente contre l'apparition de tout type d'infection.*

NUTRIMENTS ET COMPLÉMENTS ALIMENTAIRES

• L'ail prévient de nombreuses infections, y compris celles qui résistent aux antibiotiques, et purifie le sang. En prendre entre 1 000 et 1 500 mg par jour, pur ou concentré.

• L'échinacée combat les infections chroniques et aiguës. Elle nettoie le sang et le système lymphatique, ce qui stimule la production de globules blancs et d'anticorps. Le moyen le plus facile d'en absorber est d'en prendre 25 gouttes trois fois par jour pendant les repas. Alternez trois semaines de traitement et une semaine sans.

• Le ginseng renforce l'immunité · et encourage l'organisme à gérer son stress de manière efficace, ainsi qu'à stimuler la production de globules blancs ; il accélère la convalescence. En prendre entre 250 et 500 mg, une à deux fois par jour.

• La vitamine A et le bêta-carotène stimulent le système immunitaire en augmentant le nombre et l'activité de certains anticorps. Ils favorisent la croissance de la glande thymus, en la protégeant des effets néfastes du stress. La vitamine A protège le système respiratoire des infections virales. Le bêta-carotène est un antioxydant qui renforce l'immunité. Prendre idéalement entre 5 000 et 10 000 ui de vitamine A et entre 25 000 et 50 000 ui de bêta-carotène quotidiennement.

• La vitamine B6 entretient le système immunitaire, préviendrait le cancer et l'apparition d'autres tumeurs. En prendre entre 25 et 50 mg par jour sous forme de comprimés de B-complexes.

• La vitamine C aide l'organisme à résister contre les infections ; elle favorise la production des globules blancs. En prendre entre 250 et 500 mg, 2 à 3 fois par jour.

• La vitamine E est un stimulant immunitaire qui favorise la résistance de l'organisme contre certaines maladies dont des cancers et autres cas auto-immuns. En prendre entre 400 et 600 ui par jour si on veut renforcer le système immunitaire.

• Le zinc est indispensable au bon fonctionnement du système immunitaire. Il peut également éviter la propagation de certains virus. En prendre 25 mg par jour pour renforcer le système immunitaire.

• L'activité antioxydante du sélénium renforce le système immunitaire et protège l'intégrité des cellules en optimisant leur fonctionnement. En prendre entre 250 et 500 mcg par jour en association avec la vitamine E.

• La gelée royale renforce l'immunité de la même façon que la propolis et le pollen. La propolis surtout peut contribuer à éviter certaines infections de la gorge. Prendre la posologie recommandée quotidiennement, à moins que vous ne soyez allergique aux produits des abeilles.

• L'astragale peut augmenter l'énergie et la résistance aux maladies. En prendre entre 250 et 500 mg, 2 à 3 fois par jour.

CI-DESSUS *Buvez au minimum 1,5 litre d'eau minérale par jour.*

CE QUE VOUS POUVEZ FAIRE VOUS-MÊME

◆ De bonnes nuits de sommeil.

◆ Boire de grandes quantités d'eau minérale, pour purger l'organisme.

◆ Faire de l'exercice.

◆ Suivre un régime équilibré, riche en aliments complets, en fruits secs, en céréales, en fibres, en fruits et en légumes frais ; éviter la cigarette, les graisses, les aliments trop raffinés, les édulcorants, l'alcool, les divers polluants environnant : ces éléments nuisent à l'activité immunitaire.

◆ Absorber de bons compléments multivitaminés et minéraux pour permettre à votre organisme de fonctionner avec les quantités nécessaires en nutriments qui aideront à renforcer l'activité immunitaire, dont les vitamines A, B-complexes, C, E, ainsi que du zinc et du sélénium (*voir* encadré ci-contre).

GELÉE ROYALE

GINSENG

CI-CONTRE *ET* CI-DESSUS
La gelée royale et le ginseng renforcent tous deux le système immunitaire et aident à combattre les infections.

Augmenter son potentiel énergétique

DES ÉTUDES ONT MONTRÉ *que la majorité des cas de fatigue chronique était due à des carences alimentaires. Selon les médecins, le nombre de personnes se plaignant d'être fatiguées est en constante augmentation. Les preuves scientifiques indiquent que ce syndrome est à imputer entièrement à des carences alimentaires variées.*

L'absorption croissante de caféine, de nicotine, voire d'amphétamines, agresse l'organisme. Alors que nous prenons ces substances pour nous donner un «petit coup de fouet», elles génèrent *a contrario* : fatigue, torpeur, manque de concentration et manque d'énergie. Il existe un certain nombre de substances naturelles qui vous aideront à optimiser votre potentiel énergétique, et d'autres qui agiront sur le système sanguin et nerveux en déclenchant le stimulus nécessaire pour libérer une énergie soutenue et délibérée.

Cependant, si vous souffrez de fatigue chronique, il est important d'analyser votre mode de vie et votre alimentation avant de vous tourner vers les compléments alimentaires. Si vous êtes exposé à un haut niveau de toxines – sous forme de pollution, de tabagisme, d'un régime pauvre ou d'un abus d'alcool – vous devez impérativement intervenir pour éliminer ces substances. Essayer de boire beaucoup d'eau filtrée, elle aide à purger et à réhydrater les tissus de votre organisme qui sont asséchés par la surconsommation de stimulants.

CI-DESSUS *Le gingembre possède des vertus stimulantes et peut renforcer votre potentiel énergétique naturel.*

À GAUCHE *Évitez la caféine et les aliments trop riches en graisses. Leurs effets stimulants ne sont qu'à court terme.*

CI-DESSUS *Prenez quotidiennement une dose de ginkgo biloba afin d'améliorer vos capacités intellectuelles et donner un coup de fouet à votre mémoire.*

COMPLÉMENTS ALIMENTAIRES STIMULANTS

• Le ginseng renforce et normalise l'organisme : il stimule la performance intellectuelle et procure de l'énergie. Il est conseillé d'en prendre régulièrement car ses effets se font ressentir à long terme. En prendre entre 500 et 1 000 mg par jour.

• Le ginkgo biloba est connu pour ses actions sur le fonctionnement du cerveau ; il stimule la mémoire et la vitalité. À prendre chaque jour en ampoule ou en comprimé (40 g environ trois fois par jour).

• Le gingembre possède un effet stimulant sur l'organisme, surtout sur le système sanguin et digestif. Il aide à retrouver de l'énergie. En prendre 25 gouttes trois fois par jour, ou 500 à 1 000 mg sous forme séchée (le gingembre frais n'est pas assez concentré).

• L'avoine est une plante nutritive, au pouvoir de guérison ; elle agit essentiellement sur le système nerveux en le stimulant et en le rééquilibrant. En absorber quotidiennement sous forme d'ampoule ou essayer d'en ingérer en grandes quantités pendant les repas.

• Le gotu kola aide à rééquilibrer le système nerveux ; il augmente l'énergie et l'endurance. En prendre 12 gouttes trois fois par jour.

• Le fer est nécessaire pour la production de l'énergie et les fonctions immunitaires ; il constitue en partie l'hémoglobine qui transporte l'oxygène dans le flux sanguin. Il combat souvent la fatigue. Posologie : entre 10 et 15 mg par jour.

• Les vitamines du groupe B sont essentielles au fonctionnement du système nerveux, elles aident à stimuler l'énergie. En prendre entre 50 et 100 mg en ampoule.

• Le magnésium génère de l'énergie en puisant dans les réserves du foie. Il est également nécessaire à la bonne constitution du squelette. Les compléments servent généralement à éliminer la fatigue et ils devraient être pris en association avec du calcium, de 450 et 650 mg par jour.

• Le coenzyme Q10 est essentiel à la production de l'énergie. Il constitue un stimulant métabolique doux. En absorber entre 30 à 50 mg par jour.

CI-DESSUS *Ajoutez de l'avoine organique à votre régime alimentaire afin de rééquilibrer votre système nerveux.*

CE QUE VOUS POUVEZ FAIRE

◆ Privilégier de bonnes nuits de sommeil et ne pas boire d'alcool avant le coucher.

◆ Éviter la caféine et autres stimulants artificiels qui donnent des « coups de fouet » passagers mais qui finissent par accroître la fatigue.

◆ Absorber de bons compléments vitaminiques et minéraux.

◆ Manger léger et privilégier des aliments frais.

◆ Faire de l'exercice chaque jour pour stimuler la circulation et l'organisme.

◆ Prendre le temps de se relaxer et de se détendre, en pratiquant la méditation ou le yoga par exemple.

CI-DESSUS *Se relaxer totalement est primordial. Essayez le yoga ou la méditation.*

Prévenir et guérir le cancer

LES RADICAUX LIBRES *(pages 18 et 19), qui sont la cause du vieillissement, sont également à l'origine de nombreux cancers. En suivant un régime riche en antioxydants (qui balaient littéralement les radicaux libres), nous pouvons prévenir la maladie et arrêter son développement. Cette révélation est l'une des plus grandes avancées de ces dernières années en ce qui concerne les recherches sur le cancer.*

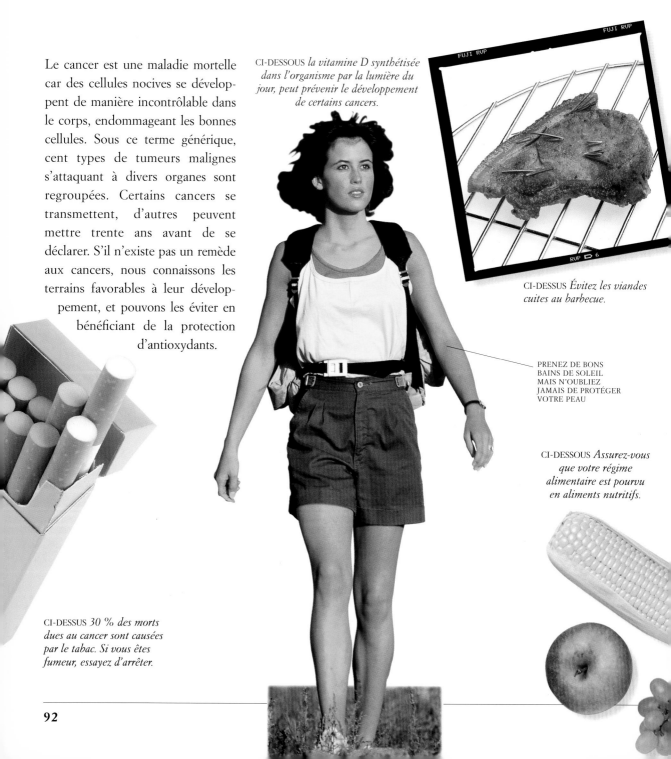

Le cancer est une maladie mortelle car des cellules nocives se développent de manière incontrôlable dans le corps, endommageant les bonnes cellules. Sous ce terme générique, cent types de tumeurs malignes s'attaquant à divers organes sont regroupées. Certains cancers se transmettent, d'autres peuvent mettre trente ans avant de se déclarer. S'il n'existe pas un remède aux cancers, nous connaissons les terrains favorables à leur développement, et pouvons les éviter en bénéficiant de la protection d'antioxydants.

CI-DESSOUS *la vitamine D synthétisée dans l'organisme par la lumière du jour, peut prévenir le développement de certains cancers.*

CI-DESSUS *Évitez les viandes cuites au barbecue.*

PRENEZ DE BONS BAINS DE SOLEIL MAIS N'OUBLIEZ JAMAIS DE PROTÉGER VOTRE PEAU

CI-DESSOUS *Assurez-vous que votre régime alimentaire est pourvu en aliments nutritifs.*

CI-DESSUS *30 % des morts dues au cancer sont causées par le tabac. Si vous êtes fumeur, essayez d'arrêter.*

QUELQUES COMPLÉMENTS POUR PRÉVENIR ET GUÉRIR LE CANCER ?

• Assurez-vous de vous exposer à la lumière du jour suffisamment afin de faire le plein en vitamine D. Elle joue un rôle dans la diminution des risques concernant un certain nombre de cancers. En absorber 400 ui par jour afin de diminuer le risque de développement d'un cancer.

• Le calcium peut protéger le côlon et le rectum. En prendre entre 800 et 1 500 mg par jour.

• Le zinc protégerait l'organisme du cancer. On devrait en absorber entre 17 et 25 mg par jour.

• Les vitamines du groupe B protègent contre le risque de certains cancers et sont essentielles au fonctionnement immun. En prendre entre 25 et 50 mg une ou deux fois par jour. L'antioxydant sélénium renforce l'immunité. En prendre entre 100 et 200 mcg par jour.

• La vitamine C réduit les risques de cancer. Posologie : de 250 à 500 mg par jour.

• La vitamine A et le bêta-carotène naturels réduisent les cas de cancers. Le bêta-carotène est surtout utile car il renforce le système immun et neutralise les radicaux libres. Posologie : de 5 000 à 10 000 ui par jour de vitamine A, de 25 000 à 450 000 ui de bêta-carotène chaque jour dans nos aliments.

• La vitamine E peut alléger les effets secondaires de la chimiothérapie et de la radiothérapie ; elle peut ralentir le développement de certains cancers ; en tant qu'antioxydant, elle réduit aussi leur risque. En prendre entre 400 et 600 ui par jour.

• L'ail possède des vertus indéniables contre les cancers ; il contient un nombre de substances qui neutralisent les carcinogènes. Posologie : de 600 à 1 000 mg d'ail pur ou concentré.

• Le coenzyme Q10 réduit les effets de la chimiothérapie. Posologie : 30 mg par jour. Les acides gras réduisent le risque de cancer de la poitrine, par exemple. Posologie : de 500 à 1 000 mg par jour.

• L'acidophilus et d'autres produits riches en bactéries vivantes diminuent le risque du cancer du côlon. Posologie : se conformer à la notice et prendre si possible avant les repas.

• Les compléments en fibres peuvent prévenir certains cancers, au niveau de l'intestin par exemple. Ils peuvent aussi contribuer à réduire les toxines cumulées dans l'intestin qui peuvent être à l'origine de cancers. Prendre des compléments en fibres chaque jour, entre 4 et 6 g.

CE QUE VOUS POUVEZ FAIRE

♦ Arrêter de fumer. Les fumeurs sont dix fois plus exposés au cancer des poumons, et 30 % des décès dus aux cancers sont causés par le tabac.

♦ Réduire votre consommation d'alcool. Trop d'alcool augmente les risques de cancers de la bouche, de l'œsophage et du larynx. Ne pas dépasser, si possible, deux « prises » journalières.

♦ Manger beaucoup de fibres.

♦ Consommer, au moins cinq fois chaque jour, des fruits et des légumes, car ils contiennent des vitamines antioxydantes et des minéraux.

♦ Absorber un bon complément vitaminique et minéral qui contient des vitamines C, E ainsi que d'autres vitamines et minéraux antioxydants. Ils aident à neutraliser certains carcinogènes. Les compléments renforcent le système immunitaire permettant de détruire les cellules ennemies avant qu'elles ne se propagent.

♦ Réduire votre consommation en graisses. Un régime trop riche peut être en partie la cause de différents types de tumeurs.

♦ Éviter les aliments frits ou cuits au barbecue. Éviter également de manger trop d'aliments fumés ou vinaigrés : ils peuvent accroître

les risques de cancer de l'estomac.

♦ Éviter les coups de soleil : ils sont à l'origine de la majorité des cancers de la peau.

♦ Manger équilibré. 40 % des personnes atteintes du cancer meurent en fait de malnutrition parce que leurs cellules cancéreuses libèrent une hormone qui supprime l'appétit. Les nausées et les vomissements causés par le traitement peuvent exacerber le problème. Alors, même si vous n'avez pas faim, essayez au moins chaque jour de faire un vrai repas nutritif.

♦ Trouver un groupe de soutien qui partage vos problèmes. Le stress affaiblit l'activité immunitaire et l'énergie ; cela, cumulé à d'autres facteurs, rend notre organisme plus vulnérable à l'action des cellules cancéreuses.

Vivre longtemps

LES SCIENTIFIQUES PEUVENT MAINTENANT *cibler les signes physiques du vieillissement et leurs différentes étapes. Ils peuvent même, jusqu'à un certain point, expliquer leur cause. Bien que les experts ne comprennent toujours pas pourquoi nous vieillissons, ni le caractère inéluctable de la dégénérescence de l'organisme, ils connaissent l'origine de certains troubles normalement liés au vieillissement et sont capables de retarder ou d'interrompre leurs processus.*

Le vieillissement de notre organisme apparaît sous différentes formes : certaines sont visibles, comme le rapetissement, la contraction des muscles, la perte de cheveux, le grisonnement, les rides. À l'intérieur de l'organisme se produit une destruction progressive des cellules du cerveau, des reins et d'autres organes vitaux. Des tissus importants – des muscles jusqu'au cerveau – rétrécissent et perdent de leur tonicité. Nombre de ces changements se reflètent dans le déclin de fonctions de l'organisme : problèmes auditifs, oculaires, immunitaires et de circulation sanguine ; ce dernier point est d'autant plus important qu'il est indispensable à l'oxygénation du sang et à son transport dans l'organisme.

CI-CONTRE *Utilisez des huiles mono-insaturées dans votre alimentation (huile d'olive par exemple) car elles aident à combattre les maladies coronariennes.*

Bien évidemment, nous vieillissons – il n'existe aucun moyen de stopper le temps – mais nous pouvons en maîtriser les effets. Les scientifiques confirment que l'être humain peut vivre jusqu'à 110 ans, même si peu d'entre nous atteignent cet âge avancé. Voici quelques conseils pour y parvenir :

CI-DESSUS
Les tomates ont des effets antioxydants.

DES COMPLÉMENTS POUR VIVRE PLUS LONGTEMPS

• Le bêta-carotène, antioxydant, prévient les dommages causés aux cellules, renforce le système immunitaire et protège contre les maladies liées au vieillissement. En prendre entre 25 000 et 50 000 ui par jour.

• La vitamine C, puissant antioxydant, surtout pour le cerveau, réduirait les risques de cancer, de cataractes, de maladies coronariennes et dégénérescentes. En prendre entre 250 à 500 mg deux à trois fois par jour.

• La vitamine E agit en tant qu'antioxydant et contribue à retarder l'effet du vieillissement. Un léger apport pourrait être efficace lors de certains cancers et de maladies coronariennes. En absorber entre 400 et 600 ui par jour.

• Le sélénium, antioxydant très important, diminuerait le taux de cancers. Associé à la vitamine E, en prendre entre 100 à 200 mcg par jour.

• Le ginseng, appelé «racine d'immortalité» en Asie, est un tonique puissant qui renforce l'activité immunitaire, les fonctions intellectuelles, et diminue les symptômes de fatigue. En prendre entre 250 à 500 mg par jour pour un effet optimal.

• Le ginkgo, utilisé par les Chinois pour prolonger la vie, soulage les symptômes associés à l'âge, comme les pertes de mémoire et d'audition. En absorber trois fois par jour selon les indications thérapeutiques.

• L'ail réduit les effets de maladies coronariennes et agit comme antioxydant. Essayez d'en consommer 1 g pur ou concentré par jour.

CE QUE VOUS POUVEZ FAIRE

◆ Si vous utilisez au quotidien un filtre solaire, votre corps pourra réparer certains dommages causés par des expositions précédentes et vous paraîtrez plus jeune. Les filtres solaires préviennent l'apparition des taches de vieillesse et les rides, ainsi que les cancers de la peau.

◆ Renforcez votre système immunitaire (*voir* pages 88 et 89).

◆ Faites de l'exercice : il n'y a rien de plus efficace. Des études sérieuses ont démontré que faire de l'exercice peut inverser les effets du vieillissement. Faites 20 minutes d'exercice trois fois par semaine en faisant en sorte de bien « décrasser » cœur et poumons.

◆ Lever des poids évitera certaines maladies comme l'ostéoporose. L'exercice peut aussi prévenir certaines conditions liées au vieillissement comme les maladies coronariennes, l'hypertension, l'hypercholestérolémie.

◆ La plupart des légumes verts feuillus très colorés contiennent du bêta-carotène, apparenté à la vitamine A, qui agit comme antioxydant (*voir* ci-dessous). Il peut aider à la prévention du cancer et des crises cardiaques.

◆ Les fruits et les légumes riches en vitamine C améliorent nettement la santé, et les effets positifs des antioxydants peuvent retarder les effets du vieillissement. Mangez en quantité des légumes et des fruits frais.

◆ Un régime riche en fibres favorise le transit intestinal et donc une flore saine. La flore intestinale joue un rôle très important dans la lutte contre les maladies et les infections.

◆ Réduisez votre consommation de graisses qui bouchent les artères et font grossir. Préférez-leur des graisses insaturées, comme l'huile d'olive, assurez-vous que vous absorbez moins de 30 % de calories lipidiques durant vos repas.

◆ Buvez beaucoup. L'eau hydrate votre organisme, aide à éliminer les toxines, agit comme un diurétique doux et purge l'organisme.

◆ Un régime élevé en fibres stimule l'appareil digestif et réduit l'incidence des cancers, surtout ceux de l'appareil digestif.

◆ Surveillez votre consommation en caféine (thé, café, chocolat) : elle est impliquée dans l'hypercholestérolémie, l'hypertension, les syndromes prémenstruels, l'insomnie et certains problèmes mammaires. Elle stimule artificiellement le système nerveux central, ce qui augmente le taux d'adrénaline.

◆ L'une des principales sources de vieillissement est le stress qui fait peser sur notre organisme une pression physique et psychologique incroyable. Il a été clairement mis en cause dans le vieillissement prématuré, l'hypertension et autres tracas liés à l'âge : insomnie, troubles digestifs,

problèmes dermatologiques et différentes douleurs. On sait qu'il a aussi tendance à réduire l'efficacité du système immunitaire (*voir* pages 100 et 101 pour les compléments qui aident à gérer les effets du stress).

◆ Tout concorde pour affirmer que le corps et l'esprit apprécient les bonnes nuits de sommeil : vous aurez l'air plus reposé tout en ayant davantage d'énergie. La plus grande concentration d'hormones de croissance est libérée la nuit, ce qui permet à votre organisme de réparer les effets du temps et de se régénérer. Le besoin en sommeil varie selon les individus, l'essentiel étant d'attaquer la journée de manière optimale.

◆ Évitez de fumer, cela entraîne la formation de rides, réduit la capacité pulmonaire et provoque le cancer.

◆ Boire trop d'alcool peut entraîner la destruction des neurones.

◆ Rester calme aide à prendre des décisions raisonnées.

◆ Évitez la routine, rencontrez des personnes nouvelles, changez de passe-temps, lisez, apprenez : toute stimulation intellectuelle est positive.

CI-CONTRE *Gardez votre esprit actif ; stimulez votre cerveau en le mettant sans cesse au défi.*

Atteindre son poids idéal

LA SURCHARGE PONDÉRALE *peut être désagréable, rendre malheureux, voire malade. Nous avons tous un poids idéal qui nous satisfait, et il ne s'agit pas de ressembler à un «fil de fer». Le meilleur moyen de l'atteindre est de considérer la nourriture non comme une ennemie mais comme une alliée; l'essentiel étant de manger intelligemment.*

Si l'on veut perdre du poids, plus besoin de manger une calculette à la main pour compter les calories. Cette méthode entraîne une attitude négative, voire obsessionnelle, vis-à-vis de la nourriture. C'est une approche artificielle de l'alimentation et rarement un moyen de conserver un poids idéal. Si vous supprimez une substance nutritionnelle de manière drastique pendant plus de dix jours, le corps, croyant être affamé, réagira en ralentissant, et un métabolisme ralenti signifie qu'il a besoin de moins de carburant (donc de nourriture) pour rester au même poids. Et ce ne sont pas les graisses que votre organisme brûle lorsqu'il est affamé, mais les muscles; or, ce sont eux qui sont nécessaires à la consommation des calories. Perdre du poids naturellement est possible en changeant d'attitude par rapport à la nourriture, en faisant un effort pour être en forme. Il est alors plus facile de brûler les calories de manière efficace, et vous pouvez manger davantage sans trop grossir. Changer d'attitude signifie aussi écouter son propre corps, donc manger quand il a faim plutôt qu'à heures fixes, et manger les aliments dont on a envie tant qu'il s'agit d'un besoin réel et non de gourmandise.

Un problème de poids est sûrement lié à des carences nutritionnelles et à des dysfonctionnements des systèmes organiques. De nombreux compléments sont heureusement à votre disposition pour y remédier.

CI-DESSUS *Consommez des hydrates de carbone complexes plutôt que des aliments gras, sans aucune restriction.*

NE MANGEZ PAS LORSQUE VOUS ÊTES AGITÉ OU ÉNERVÉ

IL VAUT MIEUX PRENDRE SES REPAS PRINCIPAUX À MIDI PLUTÔT QUE TARD EN SOIRÉE

CI-DESSOUS *«Avaler» la nourriture, ou manger tard devant la télévision, peut faire grossir.*

CE QUE VOUS POUVEZ FAIRE

◆ Organisez votre alimentation autour de cinq portions au moins de légumes et de fruits frais par jour. Choisissez la qualité plutôt que la quantité, et assurez-vous de ne pas consommer plus de 30 g environ de graisse par jour.

◆ Manger moins et souvent permet à votre organisme d'avoir une chance de digérer et de diffuser l'énergie tout au long de la journée. Il est conseillé d'absorber le repas le plus complet à midi, ce qui laisse à votre corps le temps de digérer et d'utiliser l'apport énergétique convenablement avant de vous endormir.

◆ Écoutez votre corps et mangez quand vous avez faim.

◆ Basez votre régime alimentaire sur des aliments frais et complets.

◆ Ne mangez pas avant d'aller vous coucher.

◆ Manger vous donnera de l'énergie. Ne mangez pas pour manger.

◆ Prenez plaisir à manger. Vous n'avez pas besoin de manger beaucoup pour en ressentir les bienfaits. Mangez équilibré et en petite quantité, quand vous en ressentez le besoin. Vos envies en aliments gras et sucrés diminueront d'elles-mêmes et vous serez plus facilement rassasié.

◆ Buvez au moins 1,5 l d'eau par jour pour nettoyer l'organisme des toxines et purger le système digestif ; il est alors plus apte à fonctionner efficacement.

◆ Bougez. Marchez 30 minutes à vive allure chaque jour : vous brûlerez 2 000 calories dans la semaine avec le plaisir de vous sentir en forme.

◆ Aimez-vous. Tenez-vous droit, faites attention à votre allure générale, vous vous sentirez plus énergique, donc mieux dans votre corps et votre esprit. De récentes études ont démontré que lorsque l'on se sent bien dans sa vie, on a moins envie de manger et on est moins fatigué, ce qui, en retour, aide à perdre du poids dans de bonnes conditions.

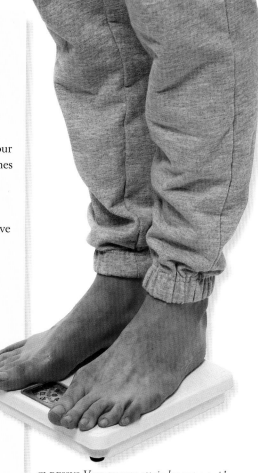

CI-DESSUS *Vous pouvez atteindre votre poids idéal sans compter les calories absorbées. Il suffit de manger intelligemment.*

DES COMPLÉMENTS POUR VOUS AIDER À ATTEINDRE VOTRE POIDS IDÉAL

• Le pollen, en poudre ou en comprimés, peut stimuler le métabolisme et supprimer l'appétit. N'en prenez pas si vous êtes allergique aux piqûres d'abeille ou au miel.

• La levure de bière peut réduire les envies de sucre.

• L'acide aminé phénylalamine est recommandé pour perdre du poids. En prendre 100 à 500 mg par jour, le soir au coucher.

• Une légère carence en chrome peut entraîner de l'hypoglycémie. Prenez-en en complément chaque jour pour réguler le taux de sucre dans le sang.

• L'acidophilus et autres bactéries saines peuvent aider à améliorer la digestion, les nutriments seront mieux assimilés et les déchets mieux éliminés.

• Le coenzyme Q10 aide les cellules du corps à bien utiliser l'oxygène et à générer de l'énergie. Il semble que les personnes prenant l'enzyme Q10 perdent du poids plus facilement. Posologie : de 15 à 30 mg chaque jour.

• Les fibres peuvent participer à une perte de poids en remplissant l'estomac et en stimulant la libération d'hormones qui supprime l'appétit. Les fibres participent aussi à la circulation des graisses et des calories dans le système digestif en diminuant le taux absorbé par le sang et stocké dans l'organisme. Posologie : de 4 à 5 g par jour (assurez-vous que vos aliments en sont riches naturellement).

• Le gingembre et la cannelle (et autres épices et herbes calorifiques) augmentent temporairement la température du corps et favorisent la perte de poids.

• Les vitamines B sont associées à un bon fonctionnement de la glande thyroïde et au métabolisme des graisses. Posologie : de 25 à 50 mg deux fois par jour.

Renforcer sa mémoire

DE NOMBREUX FACTEURS peuvent affecter votre mémoire : stress, maladie, vieillissement, alcool, manque d'exercice, mauvaise alimentation. Heureusement, il existe des moyens pour relancer et entretenir le mécanisme de la mémoire, et donner un coup de fouet à l'agilité mentale par l'alimentation, le mode de vie et, si nécessaire, la prise de nutriments.

Un stress trop important ou le vieillissement précoce, par exemple, réduisent les performances intellectuelles. Le cerveau nécessite un bon apport sanguin pour fonctionner de manière optimale, et certaines maladies, liées à des troubles de la mémoire ou autres dysfonctionnements mentaux, contrarient la circulation sanguine. Nous ne disposons d'aucun médicament favorisant les fonctions mentales, et donc la mémoire. Mais de nombreux compléments nutritifs prescrits par un généraliste ont des effets positifs. Lorsque le cerveau et le système nerveux réagissent à leur niveau optimal, nous stimulons toutes nos capacités intellectuelles et physiques. Il est maintenant reconnu que certaines carences nutritionnelles importantes peuvent être à l'origine de problèmes mentaux graves, et que les plus mineures ralentissent les fonctions du cerveau. La surconsommation d'alcool peut aussi affecter la mémoire, endom-mager les cellules du cerveau et du système nerveux. Il existe heureu-sement des moyens de limiter les effets néfastes de l'alcool et autres toxines sur notre cerveau.

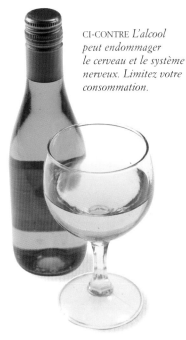

CI-CONTRE *L'alcool peut endommager le cerveau et le système nerveux. Limitez votre consommation.*

CI-DESSUS *Mangez des aliments riches en vitamines B. Les carences peuvent entraîner des pertes de mémoire, une confusion mentale et une dépression.*

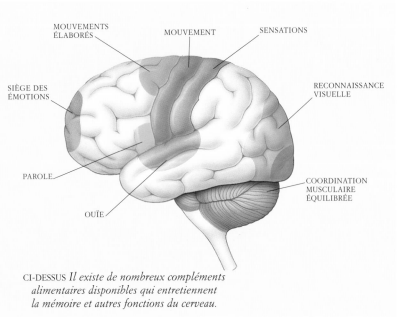

MOUVEMENTS ÉLABORÉS

MOUVEMENT

SENSATIONS

SIÈGE DES ÉMOTIONS

RECONNAISSANCE VISUELLE

PAROLE

COORDINATION MUSCULAIRE ÉQUILIBRÉE

OUÏE

CI-DESSUS *Il existe de nombreux compléments alimentaires disponibles qui entretiennent la mémoire et autres fonctions du cerveau.*

CI-DESSUS *Essayez de limiter votre consommation de sodas : ils contiennent un taux important de toxines.*

CE QUE VOUS POUVEZ FAIRE

◆ Évitez de boire trop d'alcool et de fumer, ce qui endommage le cerveau et le système nerveux.

◆ Mangez des fruits et des légumes frais en abondance pour leurs propriétés antioxydantes, et limitez les toxines présentes dans les plats cuisinés, les sodas, les additifs, les conservateurs, etc.

◆ Faites de bonnes nuits : le manque de sommeil entraîne des pertes de mémoire et diminue les capacités intellectuelles.

◆ Faites de l'exercice, pour améliorer la circulation, irriguer le cerveau et le système nerveux. Cela vous aidera aussi à vous détendre. La pratique régulière d'une activité sportive (ou le simple fait de marcher) peut avoir une influence positive sur la mémoire à court terme.

CI-CONTRE *Rien ne vaut de bonnes heures d'un sommeil réparateur pour se détendre mentalement.*

DES COMPLÉMENTS POUR TONIFIER VOTRE MÉMOIRE

• Les vitamines B sont les plus importantes pour le cerveau et le système nerveux. Des études ont montré que des carences en acide folique et autres vitamines B peuvent conduire à des pertes de mémoire, confusion mentale, dépression et dommages cognitifs. Posologie : de 25 à 50 mg par jour.

• Le zinc aide à prévenir le mal causé par les radicaux libres sur le cerveau (*voir* pages 52 et 53) et il améliore le fonctionnement des neurotransmetteurs. Les personnes carencées en zinc souffrent d'une mémoire moins efficace et de problèmes de concentration. Posologie : de 17 à 25 mg par jour.

• Le magnésium aide le système nerveux à fonctionner et à transmettre les bons signaux.

• La vitamine C est nécessaire à la production des neurotransmetteurs et, en tant qu'antioxydant, elle aide à prévenir les dommages causés aux cellules nerveuses par l'oxydation. Posologie : de 25 à 500 mg, deux à trois fois par jour.

• La choline et la lécithine jouent un rôle actif dans la mémorisation. On les trouve sous de nombreuses formes, et on devrait en absorber de 100 à 200 mg par jour. Posologie : de 1 à 2 cuillères à soupe de lécithine en granulés.

• Le ginkgo biloba augmente la circulation dans l'organisme – et donc vers le cerveau –, et contribue à l'amélioration des capacités intellectuelles – dont la mémoire. C'est aussi un excellent anti-vieillissement qui prévient la destruction des cellules du cerveau. En prendre quotidiennement.

• Le ginseng peut accroître la vivacité et performances intellectuelles ; il a un effet stimulant. Une étude a démontré que la prise de ginseng permettait aux gens de travailler plus longtemps et mieux. Posologie : de 500 à 1 000 mg par jour pour un coup de fouet à court terme.

• Le gotu kola, utilisé pour renforcer le système nerveux, peut aussi améliorer la mémoire et autres performances mentales. Suivre les indications thérapeutiques.

Gérer son stress

LE STRESS EST UN FACTEUR *déterminant des maladies dont les symptômes physiques*
sont provoqués par des problèmes mentaux ou psychologiques.
Il serait, en effet, coresponsable de 50 à 80 % des maladies; l'hypertension,
les maladies cardiaques, l'arthrite, l'asthme, l'insomnie et les autres troubles du sommeil,
les problèmes d'alimentation, l'eczéma et les ulcères sont, entre autres, des maladies liées au stress.

Le stress n'est pas une maladie à proprement parler, mais plutôt une réponse du corps à certaines tensions. De nombreuses maladies peuvent se déclencher ou être aggravées par le stress.

Il existe plusieurs sortes de stress d'origines diverses: le stress environnemental (pollution, habitat, bruit), le stress physique (maladies, blessures) et un régime déséquilibré ou trop riche en

CI-DESSUS *Différents facteurs,*
dont la pollution, peuvent
provoquer le stress.

aliments peu nutritifs comportant un taux élevé de toxines (caféine, alcool). Il existe enfin des stress mentaux qui peuvent être dus à des problèmes de couple, d'argent, de travail, etc.

Tous ces facteurs ont un effet sur notre organisme induisant une série de réactions physiologiques rapides appelées « réponses adaptatives », permettant de gérer la menace de certaines situations difficiles.

CI-DESSUS *Les maladies et les*
blessures peuvent sérieusement
peser sur notre bien-être
physique et mental.

CI-CONTRE *Les problèmes*
psychologiques, comme la difficulté
à communiquer avec autrui,
sont causes de grand stress.

CI-CONTRE *S'étirer permet de libérer la tension accumulée dans les muscles et d'apprendre à respirer correctement.*

DES COMPLÉMENTS POUR GÉRER LE STRESS

• Suivre un régime équilibré renforcera votre organisme qui sera alors plus à même de gérer le stress. Le taux de vitamines B peut chuter en cas de stress intense. Lors de périodes de tensions, prenez-en davantage.

• Le pollen des fleurs ou des abeilles, disponible en comprimés ou en granulés, a le pouvoir de renforcer l'immunité et d'énergiser l'organisme. N'en prenez pas si vous doutez de votre tolérance au miel ou aux piqûres d'abeilles.

• La L-tyrosine, un acide aminé, semble soulager le stress, et de récentes études ont montré que les personnes prenant ce complément réagissaient mieux aux situations stressantes en étant moins inquiètes, plus vives, plus efficaces et se plaignant moins de petits problèmes physiques.

• La vitamine C soulage le stress et stimule l'activité immunitaire. Elle contribue à notre bien-être.

• Les plantes apaisent et tonifient le système nerveux : par exemple la verveine, la lavande, la camomille, la mélisse officinale, la passiflore et l'avoine. On peut les boire en infusion, sans restriction en cas de situations stressantes.

• Le ginseng est un excellent «adaptogénique» : il stimule en cas de fatigue ou détend en cas de stress. Il tonifie le système immunitaire. Certains thérapeutes en recommandent des prises quotidiennes en période stressante.

• Certains aliments comme les algues, la spirulina, la chlorella agissent comme antioxydants. En absorber assure un plein en vitamines, en minéraux, en enzymes, en oligo-éléments et en protéines. Ils peuvent aider à reprendre de l'énergie et à accroître les performances mentales et physiques.

CI-DESSUS *La camomille apaise le système nerveux. Prenez-en en infusion afin d'aider votre corps à se détendre.*

CE QUE VOUS POUVEZ FAIRE

◆ Éviter une prise excessive de stimulants (caféine par exemple), d'aliments trop raffinés, et de toxines.

◆ Éviter de fumer.

◆ Bien manger.

◆ Bien dormir.

◆ Prendre le temps d'apprécier la vie.

◆ Le yoga peut vous aider à libérer le stress ; la tension et les étirements permettront de détendre vos muscles. Apprenez à bien respirer.

◆ Le massage et la méditation sont également d'excellentes thérapies de relaxation qui peuvent être mises en pratique au quotidien.

CI-CONTRE *L'avoine a des vertus calmantes ; c'est pourquoi il ne faut pas hésiter à en truffer votre régime alimentaire.*

101

Faire de bonnes nuits de sommeil

RIEN DE PLUS IMPORTANT *dans votre hygiène de vie que de respecter de bonnes nuits de sommeil. L'anxiété peut être à l'origine d'insomnie, mais elle n'en est pas l'unique cause. Le manque d'air frais et d'exercice par exemple peut vous empêcher de dormir ou vous faire vous réveiller trop tôt.*

L'insomnie est considérée comme le «principal trouble du sommeil», d'origine psychologique ou physique. Il existe de nombreuses causes d'insomnie et, heureusement, quasiment toutes peuvent être traitées. Nous pouvons tous, à un moment ou à un autre de notre vie, souffrir d'insomnie pour des raisons variées.

• La principale cause de stress est l'inquiétude. La caractéristique la plus commune est le réveil en pleine nuit avec impossibilité de se rendormir. Ce problème s'aggrave avec l'âge.

• La caféine et l'alcool provoquent des insomnies.

• Chez certaines femmes, la grossesse et la ménopause peuvent entraîner des insomnies.

• Certains problèmes de colonne vertébrale, surtout liés aux cervicales, peuvent affecter le sommeil.

Il existe d'autres causes d'insomnie : intoxications

CI-DESSOUS *Afin d'être certain de passer une bonne nuit, arrêtez de travailler au moins une heure avant de vous coucher.*

CI-CONTRE *Les problèmes de dos, surtout liés aux cervicales, peuvent provoquer des troubles du sommeil.*

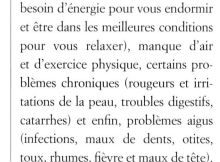

alimentaires, troubles de la thyroïde, excès de fatigue (vous avez en effet besoin d'énergie pour vous endormir et être dans les meilleures conditions pour vous relaxer), manque d'air et d'exercice physique, certains problèmes chroniques (rougeurs et irritations de la peau, troubles digestifs, catarrhes) et enfin, problèmes aigus (infections, maux de dents, otites, toux, rhumes, fièvre et maux de tête).

CE QUE VOUS POUVEZ FAIRE

◆ Mangez beaucoup de légumes et de fruits frais.

◆ Évitez les sucreries, le chocolat, les boissons à base de cola, le thé et le café, enfin tout ce qui contient des toxines, qui est susceptible d'affecter le système nerveux et de troubler le sommeil.

◆ Évitez de manger juste avant le coucher.

◆ Voyez un spécialiste si vous souffrez de problèmes particuliers. Le traitement de ce dernier pourra agir favorablement sur vos insomnies.

◆ Trouvez une méthode pour maîtriser la douleur et apprenez des techniques de relaxation afin de vous aider à traverser sans trop de difficultés les levers très matinaux.

◆ Arrêtez de travailler au moins une heure avant de vous coucher et essayez de lire quelques pages avant de vous endormir.

◆ Faites davantage d'exercice.

◆ Prenez un bain tiède (pas chaud) tous les soirs, ce qui aura le double effet de vous relaxer et de vous « laver » des problèmes de la journée.

◆ Si vous n'arrivez pas à vous endormir, rallumez la lumière, prenez un livre ou faites tout autre chose ; retournez vous coucher plus tard.

◆ Si vous êtes trop fatigué, essayez de faire une courte sieste dans l'après-midi afin de briser le cycle.

◆ Si possible, éloignez le réveil de la chambre.

DES COMPLÉMENTS CONTRE L'INSOMNIE

• Absorbez beaucoup d'aliments riches en calcium car ce dernier favorise l'endormissement. Parmi les aliments riches en calcium : persil, produits laitiers, brocoli, figues sèches, graines de sésame.

• Sucez des comprimés de zinc (15 mg) juste avant de vous coucher jusqu'à ce que vous ayez rétabli un rythme régulier.

CI-DESSUS *Absorbez beaucoup d'aliments riches en calcium car ce dernier facilite le sommeil.*

• Les insomnies peuvent être dues à une intoxication, buvez beaucoup d'eau afin de bien éliminer les toxines. Les compléments qui aident le foie à se désintoxiquer sont les vitamines du groupe B, le sélénium, le zinc, le magnésium, le manganèse, la vitamine C (acide aminé) et les antioxydants. Parmi les herbes médicinales, préférer le curcuma et la racine de pissenlit qui stimulent les sécrétions du foie, la bile.

• Prenez un complément de vitamines B-complexes qui régulera le système nerveux. Posologie : de 25 à 50 mg deux fois par jour.

• Avalez un complément de magnésium (200 mg par jour).

• Le tryptophane (acide aminé) aide à bien dormir : on le trouve dans les avocats, la dinde, les bananes et le beurre de cacahouète.

CI-CONTRE *Essayez de prendre un bain tiède tous les soirs avant de vous coucher. Cela permet de vous préparer au sommeil efficacement.*

Le grand âge

PLUS ON VIEILLIT, *plus il est important de bien s'alimenter et d'absorber des compléments nutritionnels. Les plus jeunes peuvent compenser certaines lacunes dans leur alimentation bien plus facilement que les personnes âgées. En vieillissant, les besoins de notre organisme changent, et il lui est souvent plus difficile d'assimiler les nutriments contenus dans nos aliments. En clair : vieillir nécessite un soutien.*

Lorsque les effets de l'âge commencent à se faire sentir, certains maux chroniques deviennent alors partie intégrante de la vie quotidienne. De récentes études ont démontré cependant que la dégénérescence de l'esprit et du corps peut-être retardée (*voir* les pages 91 et 92) grâce à l'absorption de bons compléments alimentaires. Afin de passer une vieillesse dans des conditions de santé optimales, suivez un régime équilibré (riche en fruits et légumes, pour leur vertus antioxydantes, associés à des compléments choisis avec soin).

CI-DESSOUS *L'ail au quotidien prévient les maladies cardiaques et autres problèmes liés à la vieillesse.*

CI-DESSUS *Les antioxydants contribuent à retarder ou éviter certaines maladies dégénératives comme l'arthrite.*

CI-DESSUS *L'huile d'onagre, véritable mine d'acides gras, aide à retarder le processus de vieillissement.*

CI-CONTRE *En vieillissant, restez actif et efforcez-vous de faire un minimum d'exercice par jour.*

CE QUE VOUS POUVEZ FAIRE

◆ Diminuez votre consommation en graisse et cuisinez autant que possible à l'huile d'olive, qui est excellente pour la santé. Elle est associée à la longévité, à la diminution du taux de cholestérol et des maladies cardiaques.

◆ Attention à vos dents ou votre dentier. Les études ont montré que la mastication insuffisante est une cause de malnutrition chez les personnes âgées.

◆ Restez actif. Ne vous laissez pas prendre en charge. Si vous continuez à vous servir de votre corps et de votre cerveau, vous resterez jeune plus longtemps. Certains exercices sont bénéfiques au corps et au cerveau en même temps.

◆ Si vous souffrez de douleurs, quelles qu'elles soient, suivez un traitement complémentaire. La douleur est vite débilitante et peut entraîner de nombreux problèmes de santé.

◆ Ne restez pas seul(e). La solitude et la dépression peuvent conduire les personnes âgées à se négliger.

◆ Tonifiez votre système immunitaire (*voir* pages 88 et 89).

CI-DESSUS *Le ginseng, reconnu comme étant la racine de l'immortalité, peut être absorbé sous diverses formes.*

DES COMPLÉMENTS POUR LES PERSONNES ÂGÉES

• Prenez de bons compléments multivitaminés et minéraux, plus des antioxydants (vitamines A, C, E et sélénium) afin d'aider à ralentir le processus de vieillissement. Les antioxydants peuvent prévenir l'arthrite, le cancer, la démence, les maladies cardiaques et le diabète.

• Assurez-vous que vous absorbez suffisamment de vitamines B dans votre alimentation, et prenez un complément de 25 à 50 mg deux fois par jour.

• Prenez un complément en acidophilus et mangez beaucoup de yaourts fermentés : ils aident votre organisme à assimiler les nutriments plus efficacement.

• L'ail aide à contrer les effets débilitants du vieillissement.

Il prévient également les maladies cardiaques et autres problèmes de santé liés à l'âge. Accommodez le plus possible vos plats d'ail frais et prenez-en 500 mg par jour en complément.

• Prenez des compléments afin de stimuler votre mémoire (*voir* pages 98 et 99).

• Absorbez les compléments qui contribuent à prolonger la vie (*voir* pages 94 et 95).

• Avaler de l'huile de poisson ou d'onagre en complément quotidien.

CI-DESSOUS *Les yaourts fermentés aideront votre organisme à assimiler les nutriments plus efficacement.*

La grossesse

LA GROSSESSE EST SOUVENT *la période pendant laquelle la femme est le plus attentive à sa santé. Il est vrai que, durant une grossesse, il est primordial de s'alimenter correctement afin d'assurer une santé optimale au futur enfant. De récentes études ont démontré que le corps avait alors un besoin accru en acide folique et en fer. Dans la plupart des cas, un bon complément vitaminique est prescrit lorsqu'une femme souhaite avoir un enfant. La vitamine A est à éviter, sauf si elle est prescrite par votre médecin.*

La surconsommation de compléments alimentaires durant la grossesse peut contrarier le développement du fœtus, mais il est indispensable d'en absorber si votre régime alimentaire est pauvre ou si vous pensez que votre apport en vitamines et en minéraux nécessaires au bon développement de votre bébé est insuffisant. Si vous hésitez sur la posologie, consultez votre médecin. Afin de concevoir et de donner la vie à un bébé en pleine santé, les deux parents doivent suivre un régime équilibré. L'alimentation et les facteurs environnementaux peuvent être responsables de certaines malformations, d'enfants mort-nés et de fausses couches spontanées.

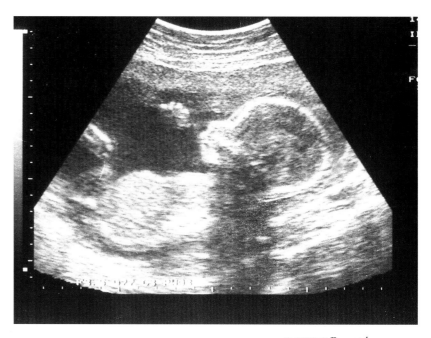

CI-DESSUS *Durant la grossesse, le corps réclame davantage de vitamines et de minéraux, c'est la raison pour laquelle une prise équilibrée de nutriments est importante pour la santé de la mère et de l'enfant.*

CI-DESSUS *Absorbez des compléments durant la grossesse et prenez un soin particulier de votre alimentation.*

CI-CONTRE *Évitez les aliments calcinés ou cuits au barbecue, qui auraient des effets nocifs sur le fœtus.*

CI-CONTRE *Essayez de manger au moins cinq portions de fruits et de légumes par jour.*

DES COMPLÉMENTS POUR AVANT ET APRÈS LA CONCEPTION

• Prenez des comprimés multivitaminés et des minéraux comprenant de nombreux antioxydants et du zinc.
• Ne dépassez pas 10 000 ui de vitamine A, elle pourrait entraîner des malformations chez le fœtus. Vous pouvez la prendre plutôt sous forme de bêta-carotène.
• Prendre 10 mg de zinc par jour.
• Prendre au moins 400 mcg d'acide folique, qui aide à prévenir certains problèmes pouvant survenir à la naissance comme le spina-bifida.
• Avant la conception, les futurs parents devraient tous les deux consommer 1 g de vitamine C par jour durant un mois au moins, 200 ui de vitamine E et 25 mg de zinc.

CE QUE VOUS POUVEZ FAIRE

• Éviter tout ce qui représente un risque pendant la formation du fœtus : l'alcool, la pollution, le tabac, le paracétamol, les virus, les infections, les aliments cuits au barbecue, etc.
• Prendre un complément d'acide folique pour diminuer tout risque de malformation nerveuse.
• Ne prendre que des médicaments prescrits par votre médecin.
• Éviter la caféine.
• Suivre un régime riche en céréales.
• Suivre un régime riche en aliments complets et en antioxydants ainsi que des aliments réputés pour diminuer l'impact de ces toxines ou mutagènes, mentionnées ci-dessus. Dans son livre intitulé *The Nutritional Health Bible*, Linda Lazarides affirme que les aliments ou les nutriments qui neutralisent les mutagènes comprennent la bardane, la menthe, le brocoli, le poivron vert, la pomme, l'échalote, l'ananas, le gingembre, le chou, l'aubergine, le persil et le raisin. Elle rappelle également combien il est préférable de consommer ceux-ci crus. L'huile d'olive non raffinée et l'acide linoléique des noix et des graines contribuent aussi à lutter contre la plupart des mutagènes.

• Manger du pain complet, des céréales, et du riz brun.
• Éviter les aliments trop grillés.
• Consommer cinq fois par jour des fruits ou légumes frais.

NE PRENEZ QUE LES MÉDICAMENTS PRESCRITS PAR VOTRE PRATICIEN

PRENEZ UN COMPLÉMENT D'ACIDES FOLIQUES AFIN D'ÉVITER TOUTE MALFORMATION DU FŒTUS

ÉVITEZ DE CONSOMMER LES ALIMENTS CARBONISÉS

LIMITEZ LA CAFÉINE

AYEZ UN RÉGIME ALIMENTAIRE RICHE EN ALIMENTS COMPLETS ET EN ANTIOXYDANTS

CI-CONTRE *Une alimentation saine devrait être suivie par les deux parents avant la conception et durant la grossesse par la mère afin d'assurer un bon départ à l'enfant.*

Les bébés et les enfants

LES BÉBÉS ET LES ENFANTS *ont un besoin important en apports nutritionnels. Certaines études ont mis en évidence que de nombreux enfants scolarisés souffraient de carences en vitamines et en minéraux. Un régime pauvre – dû essentiellement à des caprices – entraîne des troubles de santé et conduit à des problèmes comportementaux, des difficultés à apprendre et à un système immunitaire fragilisé.*

CI-DESSUS *Les enfants ont besoin de graisse dans leurs aliments, mais il faut que ces substances soient d'excellente qualité. Préférez les huiles d'olive et le beurre frais.*

Les toxines ingérées par de nombreux enfants entraînent des dommages sur l'organisme qui, plus tard, peuvent éventuellement se traduire en cancer, maladies cardiaques, capacités mentales réduites, troubles émotionnels et comportementaux. Les parents ont la responsabilité de s'assurer que leurs enfants mangent équilibré, même s'il n'est pas toujours aisé de faire manger un enfant difficile.

Les enfants n'ont pas besoin, loin s'en faut, des mêmes doses nutritives qu'un adulte, et un régime alimentaire sain et varié devrait couvrir sans problème leurs besoins. Évitez de donner à vos enfants des tablettes de vitamine C à croquer entre les principaux repas : l'acidité risque d'attaquer l'émail des dents.

DES COMPLÉMENTS POUR LES BÉBÉS ET LES ENFANTS

• Les bébés nourris au sein n'auront pas besoin de compléments en minéraux et en vitamines, mais ceux nourris au biberon devront en ingérer quelques gouttes selon l'avis du pédiatre.

• Il n'y a aucune objection à ce que vos enfants prennent des cocktails de vitamines et minéraux. Toutes traces de carence éventuelle seront gommées, et il a été clairement prouvé que les enfants qui prenaient des compléments nutritionnels travaillaient généralement mieux à l'école, y compris dans les matières sportives. Cela assure aussi une croissance optimale. Assurez-vous qu'ils absorbent la bonne quantité de vitamines et de minéraux antioxydants qui aident à entretenir les organes.

Prenez toujours conseil auprès de votre généraliste avant de leur faire entamer une cure.

CI-CONTRE *Votre enfant doit absorber au moins un repas chaud et consistant par jour.*

CE QUE VOUS POUVEZ FAIRE

◆ Si votre enfant est difficile, soyez patient et insistant ; ne cédez pas sur les plats cuisinés qui regorgent de substances chimiques. Les enfants, trop habitués au goût artificiel de certains aliments, n'acceptent pas les plats faits maison qui sont en général bien meilleurs, mais qui n'offrent quelquefois pas la même « saveur » !

◆ Il faut que votre enfant ait au moins un repas chaud par jour.

◆ Les enfants ont besoin de 5 à 6 portions de fruits et légumes frais par jour. S'ils ne les aiment pas, essayez de les cuisiner autrement ou de les intégrer à d'autres plats et boissons appréciés. Un jus de carottes frais est sucré et délicieux, il a l'avantage de contenir un taux élevé en bêta-carotène et autres nutriments ; en outre, la plupart des enfants l'aiment. Le concombre et la betterave peuvent être associés (ou non) à d'autres fruits pour un jus plein de vitamines.

◆ Ne supprimez pas les graisses dans le régime alimentaire d'un enfant, ils en ont besoin. Mais essayez en revanche de lui fournir de « bonnes » graisses.

◆ Encouragez vos enfants à boire beaucoup entre les repas : cela aide l'organisme à mieux fonctionner. Évitez les boissons trop sucrées afin de limiter les risques de caries.

◆ Des études ont démontré que les petits mangeurs capricieux étaient parfois carencés en zinc. Augmentez leur dose et demandez à un préparateur de vous concocter une préparation à sucer de préférence.

◆ Dans la mesure du possible, allaitez votre bébé, car le lait maternel comporte tout ce dont le nourrisson a besoin, et cela pendant plusieurs mois après sa naissance. Avant que la production de lait soit optimale, la mère a du colostrum, un liquide jaune et épais contenant beaucoup de protéines et d'anticorps.
Un bébé qui a absorbé le colostrum est davantage armé contre les bactéries et autres virus.
Le lait maternel, qui monte quelques jours après l'accouchement, lorsque les modifications normales commencent à se produire, est d'un blanc bleuté, très liquide. Si la mère se nourrit bien, son lait offrira à son enfant tous les nutriments nécessaires à un bon départ. La graisse contenue dans le lait humain est bien plus digestible que celui de la vache, il est donc plus facile au petit intestin de l'enfant d'absorber les vitamines solubles dans la graisse et qui passeront dans le sang.

◆ Le calcium et autres nutriments du lait humain sont très appréciés par l'enfant. Les antigènes contenus dans le lait de vache peuvent causer des intolérances chez le nourrisson. Le lait humain favorise la croissance, car il contient certaines hormones de croissance. Les enfants allaités au sein sont mieux protégés de la méningite ou autres graves infections du sang, et le risque d'attraper le lymphome de l'enfant est de 500 à 600 fois moins important que pour les autres nourrissons. Les enfants allaités développent jusqu'à 50 % d'otites en moins.

CI-DESSOUS *Il est préférable d'allaiter son enfant, car le lait maternel contient tout ce dont le nourrisson a besoin.*

Les femmes

IL EST ÉVIDENT QUE LES FEMMES *ont des besoins nutritionnels différents en fonction de leur âge et des cycles. De nombreuses femmes souffrent de carences en vitamines et minéraux, dues essentiellement à des régimes à basses calories destinés à faire perdre du poids ; à prendre en compte également, le stress de la vie quotidienne entre famille et travail.*

Les femmes sous contraceptifs oraux auront des besoins différents de celles en ménopause. Les femmes allaitant ou enceintes auront de forts besoins nutritionnels (*voir* pages 106-107). Les femmes en période de règles auront encore d'autres besoins plus spécifiques… Il vous faudra du temps pour évaluer vos besoins exacts avant de vous lancer dans un programme nutritionnel.

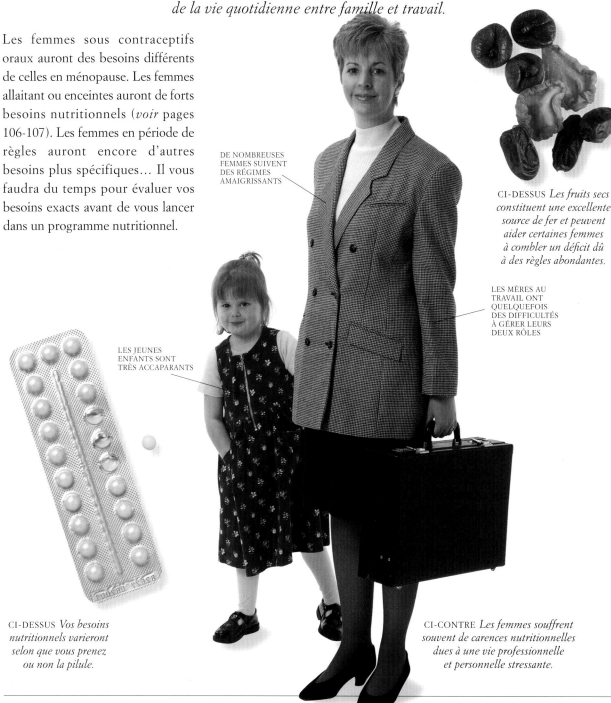

DE NOMBREUSES
FEMMES SUIVENT
DES RÉGIMES
AMAIGRISSANTS

CI-DESSUS *Les fruits secs constituent une excellente source de fer et peuvent aider certaines femmes à combler un déficit dû à des règles abondantes.*

LES MÈRES AU
TRAVAIL ONT
QUELQUEFOIS
DES DIFFICULTÉS
À GÉRER LEURS
DEUX RÔLES

LES JEUNES
ENFANTS SONT
TRÈS ACCAPARANTS

CI-DESSUS *Vos besoins nutritionnels varieront selon que vous prenez ou non la pilule.*

CI-CONTRE *Les femmes souffrent souvent de carences nutritionnelles dues à une vie professionnelle et personnelle stressante.*

DES COMPLÉMENTS POUR LES FEMMES

La plupart des vitamines et minéraux énumérés ci-dessous peuvent constituer un bon complément nutritionnel, et les dosages conseillés vous donneront une idée de ce que vous devez absorber au quotidien. Si vous êtes carencé globalement, vous serez peut-être tentée d'absorber certaines vitamines et certains minéraux isolément. Pour des problèmes de santé spécifiques, référez-vous au chapitre «automédication» (pages 114 et 139). Afin d'améliorer d'une manière générale votre condition physique, référez-vous aux pages 86 et 113.

• Les femmes ont besoin de vitamine A, entre 5 000 et 25 000 ui par jour sous forme de bêta-carotène. Les femmes enceintes ou souhaitant l'être ne doivent pas absorber plus de 10 000 ui par jour.

• Les vitamines B-complexes peuvent se prendre en trois prises quotidiennes, entre 10 et 25 mg. La vitamine B3 entre 10 et 200 mg.

• La vitamine C peut également être absorbée en trois fois pour un dosage entre 200 et 600 mg par jour.

• Les femmes ont besoin de 200 à 400 ui de vitamine D sous forme d'ergocalciférol (vitamine D2).

• Les femmes ayant des règles abondantes devront prendre des compléments en fer. Les meilleures sources de fer se trouvent dans la viande ; il peut être pris seul ou accompagné de vitamine C pour une absorption optimale. D'autres sources sont les fruits secs et les légumes verts feuillus. En prendre entre 10 et 15 mg par jour.

• Absorber entre 75 et 150 mcg d'iode par jour.

• Le zinc doit être pris en doses comprises entre 10 et 15 mg par jour.

• Le sélénium, un antioxydant, entre 50 et 200 mcg.

• Le molybdène, entre 50 et 100 mcg.

• Le calcium, entre 200 et 1 000 mg.

• Le cuivre, entre 1 à 2 mg.

• Le chrome, entre 50 et 200 mcg par jour.

• Le magnésium, entre 200 et 400 mg.

• Les femmes souffrant de symptômes prémenstruels devraient augmenter leur prise de vitamine B6 et avaler des gélules d'huile d'onagre. Prendre du chrome (200 mcg par jour) associé à des huiles de poisson (entre 2 000 et 3 000 mg par jour).

• Les femmes en postménopause auront besoin de davantage d'antioxydants (calcium : entre 600 et 1 200 mg par jour). Prendre 3 mg de bore afin de prévenir l'ostéoporose.

• Les femmes enceintes ou allaitant ont des besoins différents (*voir* pages 106 et 107).

• Le ginseng peut augmenter le potentiel énergétique et tonifier le corps, cela est particulièrement utile aux femmes stressées.

• L'agnus-castus est bon pour les femmes souffrant de symptômes prémenstruels (25 gouttes trois fois par jour, ou un comprimé, en une seule prise). Cela aide à réguler le taux d'hormones.

• L'ail, frais ou en complément, est un bon adjuvant pour le cœur surtout s'il est absorbé au quotidien.

CI-DESSOUS *Les femmes en postménopause devraient songer à absorber un complément adapté à cette période de leur vie.*

UN TEL COMPLÉMENT CONTIENDRA DAVANTAGE DE CALCIUM ET D'ANTIOXYDANTS.

Les hommes

EN RÈGLE GÉNÉRALE, *les hommes sont moins attentifs à leur santé que les femmes,
surtout en ce qui concerne le régime alimentaire et le mode de vie.
De récentes études ont démontré que les hommes boivent et fument plus que
les femmes. La santé de nombre d'entre eux atteint donc rarement son niveau optimal.
Heureusement, il existe plusieurs moyens de combler les carences éventuelles.*

CI-DESSUS *Les hommes devraient
absorber quotidiennement des
compléments d'ail afin de
prévenir l'apparition des maladies
coronariennes.*

CI-DESSUS *En règle générale, les hommes
ont un mode de vie bien moins sain que
celui des femmes, ce qui entraîne à long
terme toutes sortes de problèmes de santé.*

Les hommes seraient moins attentifs
à leur alimentation que les femmes
et moins disposés à prendre des
compléments. Le stress croissant de
nos sociétés modernes provoque de
sérieuses carences nutritionnelles
qu'il est important de combler par le
biais d'un régime alimentaire
équilibré.

Un grand nombre de problèmes
spécifiquement masculins peuvent
être traités par des compléments
nutritionnels.

Les besoins quotidiens des hommes sont similaires à ceux des femmes (*voir* pages 110 et 111). Les
hommes boivent davantage d'alcool

et fument plus que les femmes; ils
ont donc un besoin accru de vitamines et de minéraux pour prévenir,
à long terme, les effets nocifs sur leur
organisme.

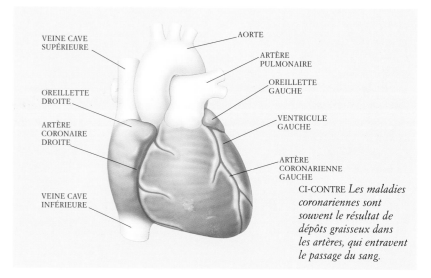

VEINE CAVE
SUPÉRIEURE

AORTE

ARTÈRE
PULMONAIRE

OREILLETTE
GAUCHE

OREILLETTE
DROITE

VENTRICULE
GAUCHE

ARTÈRE
CORONAIRE
DROITE

ARTÈRE
CORONARIENNE
GAUCHE

VEINE CAVE
INFÉRIEURE

CI-CONTRE *Les maladies
coronariennes sont
souvent le résultat de
dépôts graisseux dans
les artères, qui entravent
le passage du sang.*

DES COMPLÉMENTS POUR LES HOMMES

• Parmi les vitamines et les minéraux qui suivent, la plupart présentent des avantages nutritionnels, et les posologies conseillées dans cet ouvrage constituent une bonne indication de la moyenne des besoins de votre organisme par jour. Lorsque l'ensemble des nutriments commence à manquer dans votre organisme, il peut être conseillé d'absorber isolément vitamines et minéraux. (Pour certains troubles de santé spécifiques, *voir* pages 114 et 139. Pour une santé optimale, une longévité importante et un système immunitaire renforcé, reportez-vous aux pages 86 et 113).

• Les hommes doivent prendre entre 5 000 et 25 000 ui de vitamine A sous forme de bêta-carotène.

• Ils devraient absorber trois fois par jour, entre 10 et 25 mg de vitamines B-complexes (dont 10 et 200 mg de vitamine B3).

• Vitamine C : entre 200 et 600 mg par jour en trois prises.

• Vitamine D : entre 200 et 400 ui par jour (surtout vitamine D2 ou ergocalciférol).

• 250 mg d'huile de poisson par jour.

• Vitamine E : entre 200 et 400 ui.

• Iode (d'algues ou de potassium) : entre 75 et 150 mcg par jour.

• Le zinc : entre 10 et 15 mg par jour.

• Le sélénium (antioxydant) : entre 50 et 200 mg.

• Molybdène : entre 50 et 100 mcg.

• Calcium : entre 200 et 1 000 mg.

• Cuivre : entre 1 et 2 mg.

• Chrome : entre 50 et 200 mcg.

• Magnésium : entre 200 et 400 mg.

• Manganèse : entre 5 et 10 mg.

• Les hommes souffrant de la prostate devraient prendre un complément de vitamines B-complexes, jusqu'à 50 mg par jour, associé à 15 à 20 mg de zinc.

• Les hommes dont la numération de spermatozoïdes est faible devraient prendre un complément en vitamine C ; 1 000 mg en trois doses quotidiennes, associé à du zinc (15 à 20 mg par jour).

• Si vous souffrez de stress, référez-vous aux pages 100 et 101.

• Les hommes athlétiques devront prendre davantage de magnésium (200 mg par jour) et une bonne préparation antioxydante.

• Étant donné que les maladies cardiaques sont plus fréquentes chez les hommes, il apparaît nécessaire, pour garder un cœur en bonne santé, d'absorber quotidiennement des compléments d'ail et des antioxydants bons pour le cœur.

CI-DESSOUS *De nombreux hommes ne font pas attention à leur santé et devraient prendre des compléments.*

LES HOMMES ATHLÉTIQUES ONT BESOIN DE MAGNÉSIUM

L'AIL PRÉVIENT LES MALADIES CARDIAQUES

PRENEZ DES ANTIOXYDANTS SI VOUS FAITES BEAUCOUP DE SPORT

LES VITAMINES B-COMPLEXES PRÉVIENNENT LES TROUBLES DE LA PROSTATE

LA VITAMINE C ET LE ZINC AIDENT À UNE BONNE PRODUCTION DE SPERMATOZOÏDES

Automédication

NOUS AVONS MAINTENANT COMPRIS *que les carences nutritionnelles étaient à l'origine de nombreuses maladies chroniques et responsables d'une sensibilisation accrue à certains troubles aigus. Idéalement, une nourriture saine devrait procurer la quantité nécessaire de vitamines, minéraux et autres éléments nutritionnels. Cependant, nous sommes encore nombreux à souffrir de carences même mineures. Heureusement, les compléments nutritionnels sont destinés à les combler.*

La première étape est de suivre un régime varié et équilibré, riche en vitamines et minéraux, tel qu'il est décrit dans les pages précédentes. La deuxième étape consiste à vous assurer que vous prenez les bons compléments. La troisième étape est d'ajouter à votre régime alimentaire tout nutriment susceptible d'avoir un effet thérapeutique dans le cas du trouble particulier dont vous souffrez. Concernant les dosages de chaque complément, référez-vous à la section des listes. Si vous souffrez d'une maladie à long terme ou si vous êtes sous traitement, il est recommandé de prendre conseil auprès d'un professionnel.

Si vous êtes un peu inquiet à l'idée d'absorber différents compléments, l'avis d'un expert vous sera utile (*voir* pages 24 et 25). Gardez toujours à l'esprit que les besoins varient selon chaque individu, et que ce qui fonctionne pour une personne peut rendre une autre malade.

UN THÉRAPEUTE DÉTERMINERA TOUTE CARENCE DANS LE RÉGIME ALIMENTAIRE DE L'ENFANT

CI-DESSOUS *Les enfants devraient être les premiers bénéficiaires de la médecine nutritionnelle.*

BROCOLI

RIZ

CI-CONTRE *Un régime alimentaire équilibré doit vous apporter tous les éléments nécessaires.*

POISSON BLANC

GÂTEAU AUX CAROTTES

QUELQUES ASTUCES POUR CHOISIR VOS COMPLÉMENTS

Voici quelques petits conseils à garder en mémoire lorsque vous choisissez un complément.

• Évitez de prendre une vitamine, un minéral, en grande quantité sauf si c'est votre généraliste qui vous l'a conseillé ; votre organisme risque sinon d'en souffrir plus que d'en profiter.

• Essayez une substance avant d'en associer plusieurs entre elles.

• Prendre une herbe médicinale spécifique ou un nutriment pendant une semaine à dix jours vous aidera à identifier tout problème éventuel et à juger de ses effets sur votre organisme, votre esprit, votre énergie et vos émotions. Vous pourrez déceler une éventuelle allergie.

• Toutes les substances précédemment décrites fonctionnent mieux en association. Il existe des produits spéciaux en pharmacie.

• Un bon complément vitaminique et minéral devrait être à même de couvrir tous vos besoins, à moins que vous ne souffriez d'un trouble spécifique qui nécessiterait un apport en nutriments particuliers.

• Mangez équilibré : les compléments ne remplacent pas la nourriture.

• Prenez vos compléments régulièrement tout au long de la journée et de préférence durant les repas (*voir* page 21 pour les exceptions).

• Une dose supérieure en nutriments ne devrait pas excéder 4 à 6 semaines, sauf circonstances particulières. Les effets de vos compléments se feront en principe sentir au bout de deux à trois semaines. Sinon, cela signifie que le traitement n'est pas approprié.

POUR PLUS DE SÉCURITÉ

Faites toujours attention lorsque vous absorbez des compléments alimentaires. Si vous êtes enceinte, que vous allaitez, que vous suivez un traitement ou que vous souffrez d'un trouble chronique, nous vous conseillons de consulter votre généraliste. La médecine nutritionnelle est souvent efficace chez les enfants mais, là encore, parlez à votre généraliste de votre projet de modifier le régime de votre enfant.

Si vous avez le moindre doute sur l'effet d'un complément, consultez un médecin. Lisez toujours très attentivement les posologies, et ceci par rapport à votre corpulence. Plus un complément est prescrit en dose élevée, plus il est efficace et plus il aura un effet s'approchant du médicament.

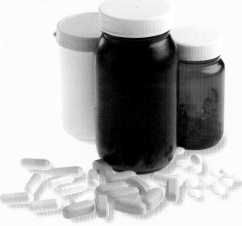

CI-CONTRE *Avant de prendre tout complément, lire attentivement la notice.*

La peau

BIEN QU'ON LUI PRÊTE *de nombreuses qualités protectrices et qu'elle soit résistante*
à la plupart des agressions quotidiennes, la peau peut devenir un véritable baromètre de nos
déséquilibres intérieurs. Les couches inférieures de la peau sont constituées de cellules vivantes,
et des modifications dans l'apport en nutriments essentiels peuvent conduire à un certain nombre
de problèmes dermatologiques : sécheresse, picotement, infections virale et bactérienne.

ACNÉ

L'acné résulte d'une surproduction de sébum (substance huileuse) qui bouche les pores de la peau et déclenche la formation de boutons. Les modifications hormonales entraînent fréquemment chez les adolescents des poussées d'acné.
• Les nutritionnistes pensent que l'acné peut être provoquée par des carences en vitamine A, vitamine B6, acides gras essentiels, zinc et/ou vitamine E. D'autres facteurs associés à l'acné incluent les allergies et intolérances à certains aliments, un foie paresseux, un régime élevé en graisse, les hormones, et la pilule contraceptive d'un type inadapté.
• Mangez aussi souvent que possible des fruits et des légumes crus.
• Prenez un complément en zinc, 30 mg par jour ; un complément en B6 est surtout utile dans le cas d'acné prémenstruel.
• Choisissez un bon antioxydant qui associe vitamines A, C et E avec du sélénium, dont un apport insuffisant peut favoriser l'apparition de certaines formes d'acné.

CI-DESSOUS *Si vous souffrez de troubles dermatologiques, mangez plus de fruits frais.*

RAISIN BLANC

ORANGE

POIRE

BANANE

RAISIN NOIR

PSORIASIS

Le psoriasis est une maladie de la peau non contagieuse, localisée sur les genoux, les coudes, et le cuir chevelu, mais qui peut aussi apparaître sur les mains et les pieds. De petites plaques roses vifs recouvertes de petites peaux blanches peuvent se transformer en pustules lorsqu'il se localise sur les mains et les pieds. Une surproduction cellulaire de l'épiderme et le stress sont à l'origine du psoriasis.
• Certains cas sont aggravés par une trop forte consommation d'alcool, une carence en fruits et en légumes frais, des déficiences nutritionnelles et un foie paresseux. Des carences en acides foliques, en sélénium, voire en zinc et en calcium, peuvent se présenter si le problème se généralise.
• Augmentez votre consommation en acides gras essentiels, surtout l'oméga-3, et en huile de poisson.
• Évitez le blé, l'avoine, l'orge, et le sel, auxquels vous êtes peut-être sensible.
• Prenez un bon complément multivitaminé et minéral associé à du zinc (30 mg par jour), du sélénium (50 mcg par jour) et de la vitamine E (400 ui trois fois par jour, en poudre ou en comprimé de préférence).

BOUTONS DE FIÈVRE

Les boutons de fièvre sont souvent causés par le virus *herpes simplex*. Des cloques remplies de sérosités apparaissent généralement autour de la bouche. Le virus peut être présent à l'état latent dans l'organisme et se réveiller lorsque le système immunitaire est affaibli.

Les boutons de fièvre sont très contagieux : attention à ne pas contaminer d'autres parties du corps ou d'autres personnes.
• Les boutons de fièvre apparaissent surtout en période de stress, de fatigue, de mauvais régime alimentaire (même temporaire), de maladie et, chez certaines femmes, avant les règles.
• Augmentez votre prise de vitamine C et d'ail, pour renforcer votre système immunitaire et prévenir les crises.
• Le zinc aide à guérir les boutons de fièvre.
• Prenez un complément en vitamines et minéraux, et absorbez de l'acidophilus (ou des yaourts fermentés) afin de favoriser la croissance de la flore.

CI-DESSUS *Les boutons de fièvre sont des cloques remplies de sérosités qui apparaissent dans la zone buccale.*

CI-CONTRE *Si vous avez tendance à attraper des boutons de fièvre, prenez davantage de vitamine C, surtout présente dans les agrumes.*

ECZÉMA

L'eczéma est une affection cutanée caractérisée par des rougeurs, des vésicules suintantes et la formation de croûtes et de squames.
Il existe différents types d'eczéma, dont l'eczéma allergisant (causé par une hypersensibilité à un agent allergique comme certains détergents par exemple) et l'eczéma irritant (associé à certaines allergies comme le rhume des foins).
L'eczéma peut apparaître à la suite d'une situation de stress prolongé.
• L'eczéma est essentiellement déclenché par des allergies à certains aliments ou substances et à des carences en acides gras essentiels et en zinc.

• Les spécialistes conseillent de modifier le régime alimentaire en supprimant certains aliments qui peuvent être à l'origine du problème, dont les agrumes, le lait de vache, les œufs, le blé et les colorants artificiels.
• Utilisez des lessives biodégradables et portez des sous-vêtements en coton ou autre fibre naturelle.
• Absorbez des compléments de vitamines B-complexes et de zinc (30 mg par jour de chaque) ainsi que des acides gras essentiels. Les huiles de poisson et l'huile d'onagre contribuent, semble-t-il, à réduire les démangeaisons et à calmer les crises.

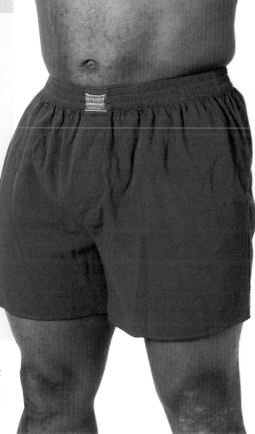

CI-CONTRE *Si vous souffrez d'eczéma, portez des sous-vêtements en coton ou en fibres naturelles.*

La respiration

POUR UNE RESPIRATION EFFICACE ET AISÉE, *l'ensemble du système respiratoire doit être dégagé, du nez au sinus, des minuscules alvéoles jusqu'au plus profond des poumons. Les infections virales, les allergies et autres maladies respiratoires ont tendance à restreindre le passage de l'air entraînant un gonflement des tissus, ainsi que la production de liquide dans les sinus, dans les principales voies respiratoires et les poumons.*

ASTHME

Les principaux symptômes de l'asthme sont l'essoufflement, des sifflements, et l'oppression de la cage thoracique. Lors d'une crise d'asthme, les bronches sont partiellement obstruées, rendant la respiration difficile. Les crises peuvent être provoquées par un allergène tel que le pollen ou les poils d'animaux, par une infection des voies respiratoires, par un effort physique trop intense ou par l'anxiété. L'asthme apparaît généralement à l'enfance et disparaît à la puberté.
• Les allergies ou des intolérances alimentaires, les carences en magnésium, en sélénium, en vitamine B6 et la pollution peuvent être des causes nutritionnelles de l'asthme.
• Ne fumez pas, évitez les polluants et l'humidité.

• Les oignons auraient des propriétés antiasthmatiques, et il est recommandé de manger un oignon cuit tous les jours.
• On devrait prendre 1 g de vitamine C deux fois par jour pour son action antihistaminique.
• Le magnésium dilate les bronches, prévient les spasmes et contre normalement l'action des allergènes. Posologie: de 300 à 400 mg.
• En 1985, une étude a démontré que la vitamine B6 réduisait les crises d'asthme.
• Les antioxydants (bêta-carotène, vitamines C et E) ainsi que le sélénium faciliteraient la convalescence tout en prévenant les crises.
• Depuis des milliers d'années, le ginkgo biloba est employé dans les traitements contre l'asthme et les allergies.

BRONCHITE

La bronchite est une inflammation des muqueuses des principaux passages aériens pulmonaires. Les symptômes sont: toux grasses, essoufflement, sifflements et douleurs dans la cage thoracique. La plupart des bronchites commencent par une infection respiratoire banale et guérissent en quelques jours. Cependant, les bronchites chroniques sont plus graves sur le long terme et sont principalement dues au tabac.
• Les bronchites chroniques ont de nombreuses causes nutritionnelles, outre le tabac (qui soustrait à l'organisme ses vitamines et ses minéraux essentiels, endommage les poumons, introduit des toxines et des substances carcinogènes), la pollution, les carences en vitamine C et en zinc.
• Il est recommandé d'absorber 1 g de vitamine C par jour sur une période de 4 à 8 semaines afin de renforcer le processus de guérison, le système immunitaire et son action antihistaminique.
• Prenez 30 mg de zinc par jour.
• Si vous fumez, n'hésitez pas à prendre des compléments en vitamines C et B-complexes afin de prendre la bonne quantité d'antioxydants. Le mieux, bien évidemment, est d'arrêter de fumer.

CI-CONTRE *Si vous êtes asthmatique, il est recommandé de manger au moins un oignon cuit par jour.*

CITRON
ET EAU CHAUDE

CI-DESSUS *Buvez une infusion d'eau chaude et de citron afin de purger votre système respiratoire. Ne faites pas bouillir ; la vitamine C serait partiellement détruite.*

CI-CONTRE *Les symptômes classiques d'un rhume sont le nez qui coule et les éternuements.*

CI-CONTRE *Fumer endommage sérieusement le système respiratoire. Arrêtez avant qu'il ne soit trop tard !*

RHUME ET GRIPPE

Le rhume est causé par différents virus. Les symptômes sont les éternuements, des picotements dans la gorge et le nez qui coule. La grippe est, elle aussi, due à un virus et apparaît normalement en épidémie.

Ses symptômes sont : fièvre, courbatures, gorge irritée et maux de tête. La fièvre s'atténue après plusieurs jours, laissant le malade affaibli.

• Le rhume et la grippe sont provoqués par de nombreux virus ; fatigué, vous serez plus susceptible de les contracter.

• Les vitamines A et C et le zinc peuvent être absorbés en prévention, surtout l'hiver : il est alors recommandé de doubler les doses.

• Si vous avez un rhume ou la grippe, prenez 1 g de vitamine C trois fois par jour et sucez une pastille de zinc toute les deux heures, jusqu'à six fois par jour.

• L'échinacée devrait être absorbée deux à trois fois par jour afin de renforcer le système immunitaire. Posologie : 25 gouttes de teinture (moitié moins pour les enfants) à chaque prise.

• On devrait absorber de l'ail en gélules ou frais tous les jours.

• Buvez beaucoup d'eau pour nettoyer l'organisme, et de l'eau chaude additionnée d'un jus de citron afin d'assainir votre système respiratoire.

Le système immunitaire

VOTRE CORPS COMPTE SUR le système immunitaire pour réagir rapidement et efficacement afin de combattre virus et bactéries responsables de maladies. Si la réaction immunitaire est entravée, quelle que soit la raison, l'organisme peut facilement être dépassé par les infections qui, en temps normal, guériraient en quelques jours. Dans de nombreux cas, les remèdes alimentaires peuvent améliorer les fonctions immunitaires et encourager les convalescences.

VIH ET SIDA

Le VIH (Virus d'immunodéficience humaine) affaiblit le système immunitaire, le rendant plus sensible aux infections opportunistes. Il se contracte par le sexe, le sang contaminé, l'allaitement ou à la naissance chez une mère infectée. Une fois présent dans l'organisme, le VIH reste à vie et risque d'évoluer vers le SIDA.

• Le SIDA (Syndrome immuno-déficitaire acquis) répond à la thérapie nutritionnelle visant essentiellement à renforcer le système immunitaire. Les personnes séropositives auront tout intérêt à suivre ce type de thérapie. De récentes études ont montré qu'un bon régime alimentaire associé à des compléments pouvait retarder la déclaration du SIDA.

• Les patients atteints du SIDA souffrent souvent de carence en sélénium : il est souvent conseillé d'en ajouter à un régime riche en antioxydants.

• L'échinacée sert à renforcer l'activité immunitaire tout en agissant en tant qu'antibiotique naturel.

• Mangez davantage de yaourt fermenté afin de permettre à la flore de combattre le corps étranger. L'une des causes du SIDA serait une carence du coenzyme Q10, et il est vivement recommandé d'en prendre une dose supplémentaire de 200 mg par jour.

• Le magnésium, la vitamine A et C aideront à alléger les symptômes.

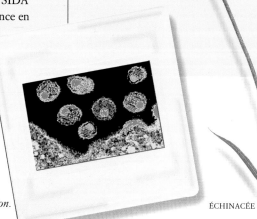

CI-CONTRE *L'échinacée, l'un des meilleurs stimulants immuns, est excellent pour combattre les infections.*

CI-CONTRE *Le virus du SIDA affaiblit le système immunitaire le rendant particulièrement vulnérable à toute sorte d'infection.*

ÉCHINACÉE

ALLERGIES

Le système immunitaire défend l'organisme des microbes nocifs en produisant des anticorps qui les éliminent. Quelquefois, le corps réagit trop fortement et répond en produisant des substances irritantes appelées histamines, ce qui entraîne une réaction allergique.

• Des prédispositions aux allergies existent.

• Les personnes allergiques semblent souffrir de carences en zinc et en cuivre ; ces substances devraient être prescrites en compléments associés à d'autres vitamines et minéraux, surtout chez les enfants.

• Une carence en magnésium peut altérer la réaction immunitaire ; il est recommandé de prendre des compléments ou d'augmenter votre apport nutritionnel en aliments riches en magnésium.

• Prenez de la vitamine C et des bioflavonoïdes chaque jour.

• La vitamine E stimule le système immunitaire.

• Buvez beaucoup d'eau fraîche et de jus de citron pour nettoyer l'organisme ; mangez des fruits et des légumes frais.

• Le ginkgo biloba est utilisé depuis des milliers d'années dans le traitement des allergies. Posologie : 60 mg par jour.

SYNDROME DE FATIGUE CHRONIQUE ET L'EM (ENCÉPHALOMYÉLITE MYALGIQUE)

Le syndrome de fatigue chronique et l'EM peuvent être très graves et affecter une personne pendant des années. Les symptômes sont la dépression, une extrême fatigue, des pertes de mémoire, et des douleurs. Une déficience du système immunitaire serait responsable de ces maladies.

• L'EM est en fait un type de fatigue chronique, tous deux peuvent avoir des causes nutritionnelles dont l'infestation par candida, l'intolérance et l'allergie alimentaire, la surcharge toxique et la carence nutritionnelle.

• Prenez de l'acidophilus en complément ou mangez beaucoup de yaourts fermentés (surtout les yaourts de brebis si vous pensez être allergique à certains produits laitiers) afin d'améliorer la flore intestinale. Ceci aidera particulièrement à combattre l'infestation par candida.

• Le ginseng aide à renforcer le système immunitaire et stimule le mental, le physique.

• Veillez à ne pas être carencé en magnésium.

• Les vitamines A, C, E ainsi que le zinc et les huiles de poisson sont très efficaces pour la fatigue chronique. Ces substances ont un effet bénéfique sur le système immunitaire.

• Mangez aussi souvent que possible des aliments complets, et en petite quantité.

• Essayez de diminuer les sucreries et les hydrates de carbone raffinés.

• Mangez aussi souvent que possible des fruits et des légumes frais, crus de préférence, pour aider à détoxiquer l'organisme.

• Nettoyez votre organisme en buvant beaucoup d'eau fraîche additionnée de jus de citron.

• L'échinacée est souvent utilisée pour renforcer l'activité immunitaire : la prendre en cure de trois semaines alternée avec une semaine, en dose normale, aussi longtemps que le problème persiste.

MONONUCLÉOSE INFECTIEUSE

Les premiers symptômes de la mononucléose sont les mêmes que ceux de la grippe : fièvre, maux de tête, et gorge irritée. Quelques jours plus tard, les ganglions des aisselles, du cou et de l'aine enflent. La guérison complète est longue.

• Le responsable est le virus Epstein-Barr, un virus du groupe herpès.

• Prenez un complément d'acide aminé L-lysine pour guérir et réduire la gravité de l'infection.

• Le sélénium agit en protégeant l'intégrité des membranes cellulaires.

• La gelée royale et le pollen sont d'excellents stimulants immunitaires ainsi que la spirulina et la chlorella.

• Les vitamines A et C encouragent l'activité immunitaire ainsi que l'échinacée et l'ail.

• Vous pouvez prendre du zinc jusqu'à six fois par jour.

MALADIE DE HODGKIN

C'est une forme de cancer qui affecte les tissus, lymphatiques et autres, indispensables pour combattre les infections. Les premiers symptômes sont la fièvre, le grossissement des ganglions lymphatiques et une perte de poids. Plus tard, les nodules deviennent caoutchouteux, puis la rate et le foie se dilatent. Certains agents viraux et infectieux, comme les anomalies du système immunitaire, pourraient en être la cause.

• Mangez beaucoup de fruits et légumes frais, surtout ceux qui contiennent des antioxydants.

• Il a été démontré qu'une carence en vitamine C pouvait entraîner certaines tumeurs.

• La vitamine A préviendrait certains cancers, surtout chez les fumeurs. Les enzymes digestifs peuvent stopper l'activité des cellules cancéreuses trophoblastes.

• La vitamine E préviendrait un certain nombre de cancers, assurez-vous qu'il y en a dans vos aliments ou prenez-la en complément.

CI-DESSOUS *Buvez beaucoup. Préparez des jus frais de légumes afin de renforcer le système immunitaire.*

Le système circulatoire

L'UN DES PRINCIPAUX SYSTÈMES DE L'ORGANISME, *le système circulatoire, remplit de nombreuses tâches essentielles : apporter l'oxygène des poumons aux autres parties du corps, ramener le gaz carbonique aux poumons, transporter les nutriments et les déchets. Il peut bénéficier de l'apport de certains compléments alimentaires.*

ANÉMIE

L'anémie est due à une carence en globules rouges dans le sang. De nombreuses déficiences alimentaires peuvent entraîner une anémie : un manque de fer, de vitamine B12 ou d'acide folique. Certaines maladies génétiques comme l'anémie à hématies falciformes peuvent provoquer une chute des globules rouges. Les symptômes sont : essoufflement, pâleur anormale, vertiges, fatigue, évanouissements et palpitations.

• Les principales causes sont des carences alimentaires en fer, en acide folique et en vitamine B12. Le problème peut être aggravé par une perte de sang conséquente, des règles trop abondantes, ou par des saignements intestinaux. Absorber insuffisamment de nutriments peut aussi entraîner une anémie.

• Prenez du fer (environ 200 mg par jour) avec de la vitamine C, ce qui facilite son assimilation.

• Une carence en vitamine B12 peut être comblée par des compléments, puis par des prises d'acide folique (non associés). Prendre 100 mg de vitamine C à chaque repas associé à 10 mg de zinc et 1 mg de cuivre.

• Prenez des comprimés d'acidophilus ou mangez beaucoup de yaourts fermentés pour favoriser la croissance de la flore intestinale qui aide à absorber les nutriments.

HYPERTENSION

Lorsque le sang circule dans l'organisme, il exerce une certaine pression sur les parois artérielles. L'hypertension apparaît lorsque cette pression excède la normale. Le système circulatoire est alors mis sous pression, ce qui peut entraîner une crise cardiaque si elle n'est pas traitée. Il n'existe pas de symptômes flagrants, et le problème est souvent diagnostiqué lors d'une banale prise de tension.

• L'hypertension peut être causée par une carence en acides gras essentiels, en calcium ou en magnésium. L'hypertension est souvent associée à une faible prise de magnésium.

• Il est conseillé de prendre entre 200 et 300 mg de magnésium par jour afin d'aider la tension à redescendre et d'équilibrer le potassium dont le taux chute souvent en cas d'hypertension. Mangez chaque jour beaucoup de fruits et de légumes riches en potassium, qui aide l'organisme à maîtriser l'absorption de sel, facteur aggravant d'une hypertension latente.

• Le calcium peut aussi faire baisser la tension, il faut en prendre entre 500 à 1 000 mg chaque jour.

• De récentes études ont montré que les compléments en huiles de poisson favorisaient également la régulation de la tension ; prenez-en quatre gélules par jour.

• Faites de l'exercice, et si vous avez une surcharge pondérale, commencez un régime : l'excès de poids entraîne souvent de l'hypertension.

• L'ail peut avoir un effet bénéfique sur l'hypertension. Mangez-le frais ou en gélules.

• Le coenzyme Q10 peut jouer sur l'hypertension en réduisant la pression systolique et diastolique. Il a un effet positif sur les vaisseaux des parois artérielles. Il est conseillé d'en prendre entre 120 et 360 mg par jour.

CI-CONTRE *Mangez beaucoup de fruits et de légumes frais : le potassium qu'ils contiennent fait baisser une tension trop élevée.*

MALADIES CARDIAQUES

Les maladies coronariennes constituent l'une des premières causes de mortalité précoce dans les pays dits développés. Cette maladie se produit lorsque des dépôts de graisse se forment le long des parois des artères coronaires, entraînant un rétrécissement du passage dans les artères, appelé artériosclérose. Des études menées sur ce sujet ont révélé des facteurs constants : manque d'exercice, trop de graisses, hypertension, facteurs héréditaires, stress.

• Il existe un large éventail de compléments qui favorisent la prévention des maladies coronariennes, et nous ne les présentons pas tous dans cet ouvrage.

• L'ail réduirait le taux de cholestérol, améliorerait la tension et la fluidité des plaquettes. Il possède des propriétés antioxydantes agissant sur l'effet d'oxydation des graisses dans le sang (l'oxydation pouvant être très nocive pour le cœur). Pour un résultat optimal, prenez-en entre 600 et 1 000 mg par jour pur ou concentré.

• De récentes études ont démontré que des régimes pauvres en acides gras essentiels se caractérisent par un taux élevé en cholestérol et des plaquettes pas assez fluides. Les acides gras essentiels réduisent la tension artérielle et élargissent les vaisseaux sanguins. La dose optimale se situe entre 500 et 1 000 mg par jour sous forme d'huiles de poisson.

• Le gingembre est reconnu pour faire baisser le taux de cholestérol et réduire la viscosité des plaquettes, donc de prévenir les caillots sanguins.

• Le ginseng aurait des effets positifs sur un cholestérol élevé et les plaquettes. Chez certaines personnes, il fait baisser la tension, chez d'autres, il peut avoir l'effet inverse.

• Le magnésium (entre 450 et 650 mg par jour) et la vitamine B6 (présente dans les compléments en vitamines B-complexes) peuvent diminuer les risques de caillots sanguins.

• La vitamine C fait aussi baisser les cholestérols tout en ayant de bons résultats sur la tension. Ses propriétés antioxydantes favorisent le fonctionnement global du cœur.

• Le coenzyme Q10 intervient avec succès dans certains traitements contre les angines de poitrine, les arythmies et d'autres troubles cardiaques. Il constitue également un nutriment essentiel pour le cœur et un bon antioxydant pour les cellules génératrices d'énergie nécessaires à faire battre le cœur. Posologie préventive et curative : de 15 à 100 mg par jour.

• La vitamine E réduit la viscosité des plaquettes et les risques de maladies cardiaques. Prenez-en entre 400 et 600 ui chaque jour.

• Le chrome est généralement associé en de faibles proportions aux maladies cardiaques. Absorbé entre 200 et 400 mcg par jour, il prévient tout dysfonctionnement coronarien.

• Mangez des fibres.

SYNDROME DE RAYNAUD

Le syndrome de Raynaud se caractérise par des spasmes des artères, des doigts, des mains et des pieds lorsqu'ils sont exposés au froid. Surgit alors une sensation de picotement, de brûlure ou d'insensibilité. Les zones concernées virent au blanc, puis au bleu et enfin au rouge. Il touche essentiellement les jeunes femmes.

• Des études ont mis en évidence que cette maladie pouvait être causée par des carences en acides gras essentiels et en magnésium.

• Les compléments en magnésium ont tendance à faire diminuer le risque de spasmes des vaisseaux sanguins. Posologie : 450 g par jour.

• Absorbez des compléments en huiles de poisson (4 à 6 gélules par jour).

• Prenez aussi de la vitamine B3, 300 mg par jour en trois prises.

CI-DESSUS *Faites régulièrement de l'exercice, et vous réduirez vos risques de maladies coronariennes.*

Systèmes digestif et urinaire

LE SYSTÈME DIGESTIF *intervient sur tout ce que nous ingérons afin d'approvisionner l'organisme en énergie et en éléments nécessaires à son bon fonctionnement, son élaboration et son entretien. Il comprend la bouche, l'œsophage, l'estomac, les intestins jusqu'à l'anus. Le système urinaire filtre et excrète les déchets du flux sanguin.*

MALADIE DE CROHN

La maladie de Crohn est une inflammation du tube digestif, elle provoque des douleurs abdominales, des diarrhées, une perte de poids et d'appétit. La cause reste inconnue.

• De nombreux patients présentent une surcharge en sucre dans le sang qui pourrait être à l'origine ou développer le processus de la maladie. La perméabilité des intestins provoquerait une assimilation trop rapide des nutriments entraînant un besoin accru en nourriture. Les allergies et les intolérances alimentaires interviendraient aussi, le système immunitaire deviendrait hyperactif.

• Le sélénium, la gelée royale, le zinc, les vitamines A et C équilibrent l'activité immune. Référez-vous à la posologie de la mononucléose (page 121).

• En cas de diarrhées, privilégiez les compléments solubles qui ont plus de chance d'être assimilés avant d'arriver dans les intestins.

• Un apport en fer peut compenser une importante perte de sang. Si vous prenez des antibiotiques, mangez des yaourts fermentés ou des comprimés d'acidophilus.

• Le sélénium est conseillé lors de régime restreint, la vitamine A répond aux problèmes de longue durée.

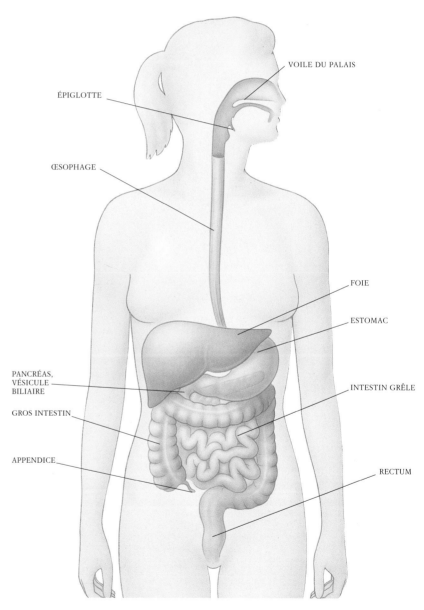

VOILE DU PALAIS

ÉPIGLOTTE

ŒSOPHAGE

FOIE

ESTOMAC

PANCRÉAS, VÉSICULE BILIAIRE

INTESTIN GRÊLE

GROS INTESTIN

APPENDICE

RECTUM

CI-DESSUS *Le système digestif est conçu pour prendre et traiter les aliments afin de produire les matières premières nécessaires au fonctionnement du corps.*

HÉMORROÏDES

Les hémorroïdes sont des veines variqueuses situées dans la partie basse du rectum ou de l'anus. Les veines gonflent sous une pression accrue provoquée par une constipation ou un effort durant la défécation. Elles se produisent souvent durant la grossesse ou chez les personnes présentant une surcharge pondérale. Elles sont externes ou internes.

• La constipation, l'une de leurs principales causes, se soigne très bien par l'alimentation.

• Une carence en magnésium, qui contrôle la souplesse des muscles du corps dont le revêtement des intestins fait partie, peut entraîner une raideur anormale des groupes musculaires.

• Les fibres, surtout l'avoine, contiennent beaucoup d'eau et favorisent l'activité des intestins. Vous pouvez les prendre sous forme de complément, comme les graines de lin par exemple.

• Buvez beaucoup. L'eau ou les jus de fruits dilués sont particulièrement conseillés pour ramollir les selles. L'oignon et l'ail ont la même action et, de plus, nettoient l'organisme.

• Passer un peu d'huile à base de vitamine E sur le pourtour de l'anus favorise la guérison externe des hémorroïdes.

• La vitamine C et les bioflavonoïdes renforcent l'intégrité des vaisseaux sanguins, ce qui évite l'apparition d'hémorroïdes.

CI-DESSUS *Si vous avez des hémorroïdes, buvez beaucoup de jus de fruits dilués afin de ramollir les selles.*

COLOPATHIES FONCTIONNELLES

Elles peuvent se caractériser par des accès alternés de diarrhées et de constipation, de douleurs abdominales et de flatulences. Les personnes sujettes à ce mal se plaignent généralement de fatigue générale et de malaises. Le stress, une intolérance à certains aliments ou une carence en fibres peuvent déclencher ce processus.

• L'une des causes principales des colopathies est la constipation et les allergies à certains aliments ou, chez certains malades, une infestation à candida.

• Buvez beaucoup d'eau minérale, au moins un litre et demi par jour, mais loin des repas car cela peut diluer les acides stomacaux.

• Assurez-vous de prendre la quantité adéquate de fibres solubles qui permettent d'éliminer à la fois la constipation et les diarrhées, de détoxiquer et soulager.

• Un complément en acidophilus sous forme de comprimé chaque jour rééquilibrera la flore intestinale.

• L'acide chlorhydrique et la pepsine, souvent associés, sont des enzymes digestifs qui peuvent notamment soulager les symptômes du syndrome de l'irritation de l'intestin. Consultez votre généraliste avant de commencer tout traitement.

• Les compléments en vitamines du groupe B permettent de mieux gérer le stress et favorisent le contrôle du fonctionnement nerveux et musculaire.

• Le magnésium exerce une action relaxante sur les nerfs et sur les spasmes musculaires trop importants.

• Les antioxydants peuvent soulager les inflammations et autres problèmes occasionnés sur les tissus conjonctifs des parois intestinales. La vitamine C participe à la guérison des colopathies et agit comme anti-inflammatoire doux, ainsi que la vitamine E. Le sélénium, associé à la vitamine E, favorise la détoxication de l'organisme.

CI-DESSOUS *Si vous souffrez de dyspepsie, évitez les aliments gras et ne dînez pas trop tard le soir.*

URÉTRITE

L'urétrite est une inflammation de l'urètre, canal excréteur de l'urine qui part de la vessie. Une infection de la vessie provoque généralement une urétrite chez les femmes ; chez l'homme, elle peut être le symptôme d'une autre maladie, comme une goniorrhée ou le syndrome de Reiter. Les symptômes sont : sensations de brûlure et douleurs en urinant, présence de sang dans les urines et écoulement jaunâtre.

• L'ail frais ou concentré pris au quotidien calme l'inflammation et combat l'infection.

• Buvez beaucoup d'eau purifie le système urinaire

• La vitamine C agit comme diurétique naturel et renforce l'action du système immunitaire. Elle favorise la formation de muqueuses saines. Posologie : 1 g de vitamine C tous les jours.

• Prenez de l'acidophilus si vous êtes sous traitement antibiotique.

DYSPEPSIE

L'anxiété conjuguée au fait de manger trop vite certains aliments peut entraîner une dyspepsie. Tout le monde peut en être victime, mais les femmes enceintes, les gros fumeurs et les personnes présentant une surcharge pondérale sont plus touchés. Les symptômes sont : malaise dans la région de l'abdomen, douleur sourde ou aiguë dans la poitrine, flatulences et brûlures d'estomac.

• Les habitudes alimentaires sont un des facteurs générateurs de dyspepsie.

• Évitez de manger gras, ce qui ne peut qu'empirer les choses, et de manger tard le soir, ce qui signifie aller se coucher avec une grande quantité d'aliments non digérés et de l'acide dans l'estomac.

• Mangez une tranche d'ananas frais après les repas pour soulager les symptômes. L'ananas en boîte n'a aucune efficacité.

• Repérez vos allergies ou intolérances alimentaires éventuelles ; les responsables sont généralement le blé, les produits laitiers, les œufs, les agrumes et la levure.

• Un complément en acidophilus sous forme de comprimés peut reconstituer une flore intestinale saine et permettre une assimilation optimale des nutriments.

• Prenez un bon complément multivitaminé et minéral afin de vous assurer que l'ensemble des nutriments nécessaires au bon fonctionnement de la digestion sont présents dans l'organisme.

CI-DESSUS *Manger une tranche d'ananas frais en fin de repas devrait faciliter votre digestion.*

DIARRHÉES

Les diarrhées, caractérisées par des selles liquides, sont souvent accompagnées de vomissements. La cause la plus commune est une infection de l'appareil digestif qui entraîne une gastro-entérite. Celle-ci peut être due à l'absorption d'aliments contaminés, à une infection virale, ou résulter d'un déséquilibre dans la constitution des bactéries naturelles de l'appareil digestif.

• Les allergies et intolérances alimentaires sont souvent à l'origine des diarrhées. Consultez votre spécialiste si vous pensez que certains aliments ne vous conviennent pas, et établissez avec lui un régime adapté.

• Buvez beaucoup d'eau afin de nettoyer votre organisme.

• Certaines diarrhées chroniques sont dues à une perméabilité intestinale trop importante que le zinc peut réduire.

• Augmentez votre apport en potassium : il est excrété lors des diarrhées et des vomissements. Le potassium n'existe pas en complément, il faut donc manger en grande quantité des aliments qui en contiennent.

• Prenez un complément en vitamines B1 et B3 qui corrige les troubles du système digestif.

• Lorsque vous vous sentez de nouveau capable de prendre un repas normal, ajoutez un bon complément riche en vitamines et minéraux afin de reconstituer vos réserves.

• Mangez beaucoup d'acidophilus pendant au moins un mois après la crise afin de rétablir le bon fonctionnement des intestins.

CI-DESSUS *La banane est riche en potassium.*

ULCÈRES

Les ulcères à l'estomac ou du duodénum se caractérisent par une perte de substance de la muqueuse, sous forme de plaie à l'évolution chronique dont la mauvaise cicatrisation provoque une sensation persistante de brûlure dans l'abdomen. Les personnes sujettes à ce problème ont tendance à fumer et boire beaucoup. Un régime pauvre, le stress et l'aspirine peuvent aussi être facteurs d'ulcère.

• Une carence en zinc est souvent à l'origine des ulcères gastriques, les compléments en vitamine A peuvent protéger contre leur forme chronique, voire réduire les ulcères existants.

• Le zinc pris en grande quantité favorise la guérison (environ 20 mg chaque jour).

• Boire beaucoup d'eau purifie le système digestif, mais évitez de boire pendant les repas, ce qui dilue les sucs digestifs et ralentit le processus en le rendant plus douloureux.

CYSTITE

La cystite est une inflammation de la vessie généralement causée par une infection bactérienne qui atteint la vessie par l'urètre. Les femmes, dont l'urètre est plus court que celle des hommes, sont plus sensibles aux infections du canal urétral. La cystite se caractérise par une envie quasi constante d'uriner et des sensations de brûlure lors de la miction, accompagnées quelquefois de fièvre, de douleurs abdominales, de maux de reins. Les urines sont troubles ou contiennent un peu de sang.

• Mangez beaucoup de yaourts fermentés afin d'alléger les symptômes de la cystite et de prévenir toute récidive. La flore intestinale, rééquilibrée, sera plus résistante aux invasions bactériologiques.

• Le jus de canneberge, absorbé quotidiennement, empêche les bactéries d'adhérer aux parois de la vessie et du canal urétral. Il guérit et prévient la cystite. Des comprimés aux extraits de canneberge existent maintenant.

• La teinture d'ail (*voir* page 79) mélangée aux aliments ou aux boissons chaudes, soulage les cystites.

• Buvez beaucoup d'eau (3 litres par jour) afin de purger le système urinaire.

• Prenez 1 g de vitamine C chaque jour, elle agit comme diurétique naturel et renforce le système immunitaire.

CI-CONTRE *Le jus de canneberge allège et prévient les symptômes de la cystite.*

L'appareil locomoteur

ALIMENTÉS PAR LES NUTRIMENTS *et l'oxygène apportés par les systèmes digestif,*
respiratoire et circulaire, les muscles du corps permettent le mouvement.
Ils sont attachés aux os du squelette qu'ils actionnent grâce aux articulations.
Les os et les articulations sont sujets à diverses maladies qui peuvent être partiellement
allégées par la prise de compléments vitaminés et minéraux.

ARTHRITE

L'arthrite est une affection d'origine inflammatoire qui attaque généralement les articulations des hanches, des genoux et de la colonne vertébrale. L'usure progressive du cartilage osseux entraîne un durcissement et une distorsion des os sous-jacents. À certaines périodes, l'articulation devient douloureuse, enfle et se raidit. Les effets peuvent devenir réellement handicapants dans la vie quotidienne.

• L'ostéoarthrite, souvent liée à l'âge, résulte généralement de dommages causés par les radicaux libres sur le cartilage des articulations. La prise importante d'antioxydants sous forme de vitamine C, de vitamine E et de bêta-carotène, peut empêcher l'apparition de ces troubles.

• Prenez suffisamment de magnésium et de potassium, une carence dans ces minéraux peut favoriser une faiblesse musculaire et des spasmes.

• Une exposition insuffisante au soleil entraîne parfois une carence en vitamine D. Cela est facilement rectifiable.

• Prenez des compléments en zinc et en sélénium.

CI-DESSUS *Les personnes souffrant d'arthrite ont peut-être une carence en vitamine D. Exposez-vous davantage au soleil.*

CI-CONTRE *Les poissons gras, comme le maquereau, protègent contre l'arthrite rhumatoïde.*

ARTHRITE RHUMATOÏDE

Ce trouble chronique affecte davantage les femmes que les hommes. La membrane synoviale qui enrobe les articulations est inflammée et enfle, entraînant des douleurs et des raideurs dans les articulations. Les petites articulations des doigts et des pieds sont souvent affectées, mais l'arthrite rhumatoïde peut aussi toucher d'autres articulations : les poignets, les genoux, les chevilles.

• Le magnésium est nécessaire à la formation du liquide synovial qui baigne les articulations. Prenez-en en quantité adéquate.

• De fortes doses d'huiles de poisson sont apparemment efficaces contre l'arthrite rhumatoïde. N'hésitez pas à manger beaucoup de poisson gras.

• Prenez des compléments de zinc (30 mg par jour) et de sélénium (environ 250 mcg par jour).

• L'acide pantothénique, à raison de 2 g par jour, s'est révélé efficace chez certains patients.

• Le cuivre peut quelquefois soulager les symptômes de l'arthrite rhumatoïde (porté en bracelet, par exemple).

RHUMATISME

C'est un terme générique servant à décrire les douleurs et les raideurs dans les os et les muscles. Il peut résulter d'une friction à long terme, d'une infection virale, d'un stress, d'allergies alimentaires ou de facteurs environnementaux comme le froid et l'humidité.

• De nombreux cas de rhumatisme sont sensibles à un changement de régime alimentaire. Il est recommandé de consommer des aliments tels que le chou, le céleri, le citron, les pissenlits et les huiles de poisson aussi souvent que possible afin de réduire l'inflammation des muscles et des articulations.

• Boire beaucoup permet de nettoyer l'organisme.
• Le paprika, les pommes de terre, les poivrons, les tomates et l'aubergine peuvent aggraver les problèmes articulaires.
• L'huile d'onagre est une très bonne source en acide gamma-linoléique, indispensable à la production de la prostaglandine (*voir* page 82) qui peut avoir un effet anti-inflammatoire.
• Les antioxydants aident à prévenir toute dégénérescence. Prenez un bon complément comprenant les vitamines A, C et E, ainsi que du sélénium et du zinc.

AUBERGINE

POMMES DE TERRE

CI-DESSUS *Les personnes souffrant de rhumatismes devraient éliminer de leur régime quotidien des aliments tels que les aubergines, les pommes de terre, les tomates.*

OSTÉOPOROSE

L'ostéoporose est une raréfaction pathologique du calcium osseux. Un mode de vie sédentaire, un régime pauvre en calcium, le tabac et l'absorption de trop d'alcool représentent les principales causes. Les femmes sont davantage touchées, surtout à cause du changement hormonal dû à la ménopause.

• De récentes études ont montré qu'une prise accrue en magnésium pouvait prévenir les pires effets de l'ostéoporose. Les haricots rouges, les variétés de noix et la levure de bière sont riches en calcium.
• La posologie recommandée est comprise entre 1 000 et 1 500 mg par jour.
• La vitamine D favorise l'assimilation du calcium par l'organisme.
• Les aliments contenant du bore sont également recommandés : le bore réduit l'élimination du calcium et du magnésium, accroît la production d'œstrogènes. Mangez

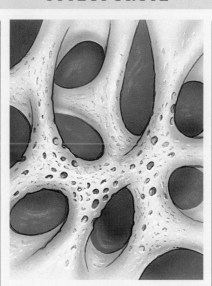

CI-DESSUS *L'ostéoporose provoque une dégénérescence osseuse qui fragilise les os et peut occasionner des fractures.*

des poires, des prunes, des légumes secs, des raisins secs, des tomates et des pommes.
• Le fluor facilite le renouvellement du tissus osseux et peut donc être utile en prévention et en traitement. Ne pas dépasser la posologie : surdosé, il peut aggraver les troubles (*voir* page 58).
• Les antioxydants aident à contrôler l'évolution de la maladie. Assurez-vous de prendre suffisamment de vitamines A, C, et E ainsi que du sélénium.
• Les acides gras essentiels sont indispensables à l'équilibre du calcium présent dans notre organisme, surtout dans les os. Les huiles oméga-3 ralentissent l'élimination du calcium dans les urines, en provenant en partie des os. Les huiles oméga-6 participent à l'assimilation du calcium. Essayez d'absorber ces acides gras dans vos aliments.

Hormones et métabolisme

LES HORMONES, SORTES DE MESSAGERS CHIMIQUES, *enregistrent continuellement les données nécessaires à notre organisme pour maintenir son équilibre. L'insuline, par exemple, est une hormone qui régule le taux de glucose dans le sang. Le métabolisme est l'ensemble des transformations chimiques et physico-chimiques qui s'accomplissent dans les tissus de l'organisme (dépenses énergétiques, échanges, nutrition...).*

GOUTTE

L'acide urique est un déchet produit par le corps qui, normalement, s'élimine facilement par les reins. Cependant, si son taux est trop élevé, l'excédent se transforme en cristaux qui se déposent autour des articulations. L'un des principaux symptômes de la goutte se manifeste par une douleur atroce et une inflammation de l'articulation, surtout celle située à la base du gros orteil.

• La goutte est moins commune que l'arthrite, mais peut être très douloureuse et handicapante. Lors d'une crise, buvez beaucoup d'eau afin d'éliminer au mieux les toxines et favoriser l'action des reins.

• La vitamine C (4 g par jour) aide à réduire l'acide urique dans le sang et favorise la miction.

• Prenez des compléments de zinc et de magnésium. Le magnésium surtout est responsable de l'activité hormonale normale et peut aider à prévenir les crises.

• Les acides gras essentiels ont une bonne action anti-inflammatoire.

• Les comprimés de charbon peuvent réduire le taux d'acide urique de l'organisme.

COMPRIMÉS DE CHARBON

PROBLÈMES DE THYROÏDE

La glande thyroïde, située sur la partie antérieure et inférieure du cou, comprend deux lobes réunis par un isthme. Elle est composée de vésicules remplies d'une substance visqueuse qui contient la thyroglobuline dont proviennent les hormones thyroïdiennes. Ces hormones contrôlent la séquence des réactions chimiques dans l'organisme. Une thyroïde hyperactive peut accélérer ces processus et entraîner irritabilité, perte de poids, palpitations et, si elle n'est pas traitée, crise cardiaque. L'inverse (hypothyroïdie) provoque une fatigue extrême, une prise de poids et de l'apathie.

• Les carences en zinc, en vitamine A, en sélénium et en fer, ainsi qu'une intoxication, provoqueraient l'apparition de l'hypothyroïdie. Mangez équilibré avec beaucoup de légumes frais, des oignons et des fruits de mer. Buvez beaucoup d'eau filtrée pour détoxiquer l'organisme.

• L'ail et l'oignon stimulent une thyroïde peu active.

• Votre généraliste vous indiquera les hormones thyroïdiennes complémentaires nécessaires, créés à partir d'iode, ainsi que la tyrosine pour l'hypothyroïdie.

• L'ail, riche en iodine, peut réguler le fonctionnement de la thyroïde.

CI-DESSOUS *Buvez beaucoup d'eau filtrée afin de détoxiquer l'organisme.*

HYPOGLYCÉMIE

L'hypoglycémie se caractérise par un taux de sucre anormalement bas dans le sang, c'est le contraire du diabète. Ce trouble se produit surtout chez les diabétiques dépendants de l'insuline. Prendre trop d'insuline ou ne pas s'alimenter correctement peut entraîner une crise.

• L'hypoglycémie peut avoir deux causes nutritionnelles essentielles : une carence en chrome et en magnésium.

• Prendre 200 mcg de chrome par jour devrait suffire à relever le taux de sucre et améliorer le nombre de récepteurs d'insuline.

• Le magnésium, notamment responsable du fonctionnement hormonal normal, est souvent déficient chez les femmes en préménopause. Il est recommandé d'en absorber chaque jour.

CI-DESSUS *Prenez de la levure de bière pour réguler le taux de sucre dans le sang.*

CI-CONTRE *Les femmes en âge de concevoir souffrent souvent de carences en magnésium et devraient en absorber en complément tous les jours.*

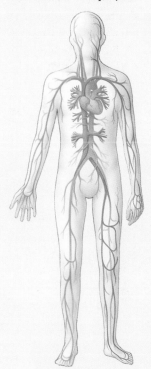

CI-DESSUS *L'hypoglycémie se produit lorsqu'il n'y a pas assez de glucose dans le sang.*

DIABÈTE

Un manque ou une carence en production d'insuline par le pancréas peut provoquer l'apparition de diabète. Résultat : l'organisme est incapable de transformer le glucose, ce qui entraîne un taux élevé de sucre dans le sang. Il existe deux formes de diabètes : les diabètes dépendants de l'insuline (type I) et les diabètes indépendants de l'insuline (type II).

• Des carences nutritionnelles sont généralement associées au diabète : manque de chrome, de vanadium, de magnésium, de vitamines C et E. De récentes études ont montré que des doses élevées de vitamine E amélioraient l'action de l'insuline chez les diabétiques indépendants de l'insuline ; de fortes doses d'antioxydants pourraient entraîner une régression de certaines complications liées au diabète.

• Il a été prouvé que l'acide gamma-linoléique améliorait radicalement les symptômes du diabète (type II).

• La levure de bière contient du chrome, substance qui favorise la normalisation du taux de sucre et de son métabolisme, prenez-en deux à trois cuillères à soupe par jour.

• L'oignon et l'ail font baisser le taux de sucre dans le sang : mangez-en ou prenez de l'ail en complément.

• De fortes doses complémentaires de vitamine C (1 g) ont, apparemment, un effet bénéfique sur la maîtrise du taux de sucre et des lipides dans le sang.

• Le zinc est facilement éliminé dans les urines des personnes diabétiques, ce qui entraîne une faible résistance aux infections, une mauvaise cicatrisation et, dans de nombreux cas, une réaction affaiblie à l'insuline.

• La vitamine B6 est utile pour maîtriser le diabète dû à la grossesse (diabète de gestation).

L'esprit, le cerveau et les nerfs

L'ENSEMBLE DES ACTIVITÉS MENTALES *et physiques d'un individu sont contrôlées
ou relayées par le cerveau et le système nerveux. Un acte volontaire provient
du cerveau, les nerfs transmettent aux muscles le message et rapportent au cerveau
les informations concernant notre organisme et son environnement.
Le système nerveux repose sur un équilibre chimique interne à l'organisme,
qui peut avoir une grande influence sur notre état mental.*

ANXIÉTÉ

Chacun, au cours de sa vie, ressent de l'anxiété, mais elle échappe quelquefois à notre contrôle, ce qui peut conduire à une série de symptômes physiques et émotionnels dont l'hypertension, l'irritabilité, l'insomnie et les crises de panique.

• L'une des principales causes de l'anxiété et des crises de panique inclut une carence en vitamines du groupe B, en sélénium et en magnésium, ainsi qu'une sensibilité au sucre et à la caféine.

• Le calcium, qui peut avoir un effet tranquillisant, tient un rôle dans la transmission des messages nerveux. Prenez-en en complément d'environ 400 mg par jour si votre alimentation vous en apporte insuffisamment.

• Augmentez vos prises de vitamines B, elles agissent sur le système nerveux, et évitez la caféine, sous toutes ses formes. Prendre chaque vitamine B en dose de 50 mg.

• L'absorption de 200 mg de magnésium par jour vous assurera une activité hormonale normale et permettra à votre système nerveux de fonctionner efficacement.

ZONA

Le zona est une affection provoquée par un virus du groupe varicelle-herpès, caractérisée par une éruption de vésicules disposées sur le trajet de certains nerfs sensitifs.
Il se produit généralement chez des personnes âgées de plus de 50 ans, et peut se déclencher lors d'une opération chirurgicale ou d'une radiothérapie dans la moelle épinière et ses racines. Chez les personnes plus jeunes, il suit souvent une faiblesse du système immunitaire. Le zona est caractérisé par une douleur qui peut être très handicapante le long du nerf affecté, les vésicules apparaissent souvent autour de l'abdomen, du bras ou du cou, il touche quelquefois la moitié du visage.

• L'avoine, riche en vitamines du groupe B, est indispensable à un système nerveux en bonne santé, on devrait en absorber tous les jours. Essayez de manger des aliments riches en vitamines B.

• Augmentez votre prise de vitamine C jusqu'à 1 g quatre fois par jour.

• La vitamine E prise en complément réduirait à long terme les symptômes associés au zona. Prenez-en jusqu'à 1 600 ui par jour en trois prises lors des repas. L'huile à base de vitamine E appliquée sur les vésicules favorise la guérison.

• Une crise de zona peut indiquer une faiblesse généralisée: renforcez votre système immunitaire.

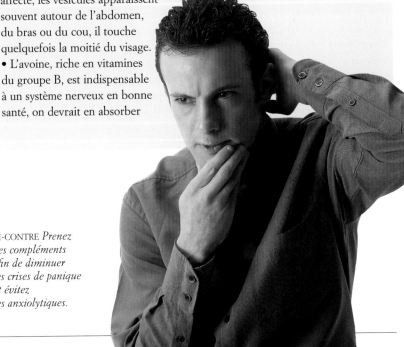

CI-CONTRE *Prenez des compléments afin de diminuer les crises de panique et évitez les anxiolytiques.*

DÉPRESSION

Une dépression peut être due à un événement traumatisant (divorce, deuil) ou aux soucis quotidiens (problèmes relationnels ou financiers). Les symptômes sont multiples, de l'insomnie au sentiment d'un intense désespoir, en passant par un manque de confiance, voire des manifestations physiques.

• La dépression qui précède les règles est provoquée par une baisse en vitamine B6 ; la dépression postnatale peut être causée par une carence en vitamine B12 et en acide folique.

• Prenez de bonnes doses de vitamine C, elle peut alléger les symptômes de la dépression.

• Certains thérapeutes recommandent des compléments en tryptophane, un acide aminé qui est un calmant naturel. Les œufs, la dinde, l'avocat, les bananes et le beurre de cacahouètes constituent d'excellentes sources de tryptophane.

• La dépression chronique est liée à des carences en vitamines B-complexes, en calcium, en magnésium, en cuivre, en fer, en potassium, en acide folique et/ou en acides gras essentiels. De récentes études ont montré que les personnes souffrant de dépression étaient souvent carencées en ces éléments. Consultez un nutritionniste, il déterminera les nutriments dont vous manquez et établira ensuite un diagnostique. Entretemps, un bon complément en vitamines et minéraux aidera à équilibrer l'organisme.

CI-DESSUS *Des compléments en vitamine E par exemple peuvent aider à réduire les attaques d'épilepsie chez l'enfant.*

ÉPILEPSIE

L'épilepsie provient d'un dysfonctionnement du système de communication du cerveau. Durant la crise, les signaux d'un groupe de cellules nerveuses deviennent excessivement forts entraînant une charge électrique excessive dans le cerveau et des convulsions, principal symptôme de l'épilepsie. Il existe deux types majeurs d'épilepsie : le petit mal et le grand mal.

• Certaines causes nutritionnelles banales de l'épilepsie peuvent provenir d'une allergie, de la maladie cœliaque, de carences en sélénium, en magnésium, en vitamines B1, B6, ou en acide folique.

• De récentes études ont montré qu'une prise de 400 ui de vitamine E par jour associée à un traitement pouvait diminuer de manière sensible les crises d'épilepsie chez les enfants.

• Il apparaîtrait que de nombreux épileptiques présentent une forte carence en magnésium dans le plasma sanguin ; plus la carence est importante, plus l'épilepsie est grave. Il est donc recommandé de prendre des compléments de vitamine B5, de magnésium, de calcium et de zinc.

• Le sélénium, testé depuis quelques années sur des enfants épileptiques, chez qui les traitements conventionnels avaient peu d'efficacité, se montre convaincant.

• Une carence en vitamines B6 et D peut précipiter une crise.

• L'acide aminé taurine pourrait les maîtriser.

CI-DESSOUS *Le beurre de cacahouète est une bonne source de tryptophane qui agit en tant que calmant naturel.*

MAUX DE TÊTE ET MIGRAINES

Les maux de tête sont très communs et varient en intensité d'une simple gêne à une vraie douleur. Le stress, la fatigue, une sinusite, une allergie alimentaire, une tension oculaire, une blessure physique ou trop d'alcool peuvent les déclencher. Les migraines, maux de tête aggravés accompagnés de nausées et de troubles de la vue, sont souvent déclenchées par l'absorption d'aliments contenant de la tyramine (bananes, chocolat, fromage, agrumes et vin).

• Les maux de tête récurrents peuvent indiquer une carence en vitamines essentielles ou en minéraux. Un faible taux en vitamines B3 et B6 peut les provoquer. Toutes les vitamines B combattent le stress et les éventuels maux de tête. Les aliments riches en protéines (poulet, poisson, haricots, lait, fromages, noix, noisettes, amandes, beurre de cacahouète) sont de bonnes sources en vitamines B3 et B6.

• Le calcium et le magnésium sont associés dans la prévention des maux de tête, surtout liés au cycle menstruel féminin. On trouve du calcium dans les produits laitiers, le tofu, les légumes verts feuillus (chou frisé, brocoli), les haricots et les pois. Le magnésium se trouve aussi dans les légumes verts feuillus, les noix, les noisettes, les amandes, les bananes, le germe de blé, les fruits de mer, les haricots et les pois. Si certains de ces aliments déclenchent chez vous des maux de tête, prenez un bon complément multivitaminé avec des minéraux : il devrait apporter les nutriments nécessaires à leur prévention.

• Le gingembre et la grande camomille sont de bonnes substances préventives et thérapeutiques. Le gingembre frais, mâché lors d'une crise, aide à dilater les vaisseaux sanguins contractés. La grande camomille, prise chaque jour, peut en réduire l'incidence et l'intensité. Si vous prenez de la camomille fraîche, mâcher les feuilles entre deux tranches de pain car elle peut être mal tolérée par l'estomac.

CI-DESSUS *Certaines études menées sur des personnes souffrant de migraines ont démontré que, dans 70 % des cas, le fait d'absorber quotidiennement des feuilles de grande camomille réduisait l'intensité des crises.*

CI-DESSOUS *Le poulet est riche en niacine et en vitamine B6. Si vous pensez manquer de ces deux substances, mangez-en plus souvent.*

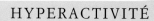

HYPERACTIVITÉ

Elle concerne davantage les enfants que les adultes. L'enfant hyperactif, remuant à l'extrême, dort très peu. Il éprouve des difficultés à se concentrer. Il est facilement distrait. Cette hyperactivité peut se traduire par un comportement agressif et impulsif, voire coléreux.

• Les principales causes nutritionnelles de l'hyperactivité incluent la candidose, une sensibilité aux produits chimiques, des carences en zinc, en vitamines B, en magnésium, en chrome, en acides gras essentiels, des intolérances ou des allergies alimentaires et une sensibilité au sucre.

• Un thérapeute nutritionnel pourra diagnostiquer avec certitude les carences à combler ou recommander un régime alimentaire adapté. Il est très important de consulter un thérapeute conventionné car, l'hyperactivité concernant principalement les enfants, il n'est pas question de prescrire un régime restrictif sans avoir parfaitement évalué le terrain dans son ensemble. De récentes études encourageantes recommandent principalement d'augmenter l'apport en acides gras essentiels tout en éliminant les substances allergènes et les additifs alimentaires qui entraînent souvent une baisse de ces mêmes acides gras et du zinc dans l'organisme.

CONGESTION CÉRÉBRALE

Ce genre d'attaque se produit lorsque l'apport de sang au cerveau est perturbé par une thrombose, une embolie ou une hémorragie. Le cerveau peut être endommagé à vie (perte de l'usage de la parole et paralysie). Généralement, l'attaque atteint une moitié du corps, une moitié du cerveau seulement étant touchée. La partie droite du cerveau contrôle la partie gauche du corps et réciproquement.

• Il a été démontré qu'une carence en flavonoïdes pouvait être à l'origine de ces attaques, et que la vitamine E (à raison de 400 ui par jour pour les individus susceptibles d'être atteints) pouvait diminuer la viscosité des plaquettes de plus de 80 %.

• Il est recommandé d'absorber de la vitamine C associée à des bioflavonoïdes à raison de 1 g par jour ; elle peut favoriser la prévention d'une attaque ou aider la convalescence.

• Les huiles de poisson, le magnésium et les vitamines du groupe B sont également d'excellentes substances préventives.

• Référez-vous au chapitre concernant les maladies cardiaques (*voir page 123*).

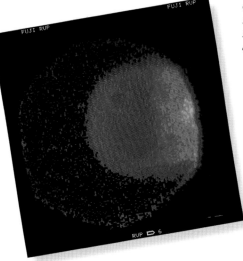

CI-CONTRE *Lors d'une attaque, l'apport de sang au cerveau s'interrompt, causant la perte de la parole et du mouvement.*

CI-CONTRE *Si vous n'arrivez pas à dormir, essayez de mangez beaucoup de légumes crus afin de purger votre organisme.*

INSOMNIE

L'insomnie, ou l'incapacité à s'endormir, touche à peu près tout le monde à une période de la vie. Elle est généralement déclenchée par l'anxiété ou le stress. Le manque chronique de sommeil peut entraîner de nombreux autres problèmes, comme des difficultés à se concentrer, la fatigue et la dépression.

• Certaines causes d'insomnie sont une carence en vitamines B, en magnésium ou une surcharge toxique. Buvez beaucoup d'eau afin d'aider votre organisme à se détoxiquer, mangez des fruits et des légumes frais en quantité, crus de préférence. L'ail possède également des vertus purificatrices.

• Augmentez vos prises de vitamines B et C, d'acide folique et de zinc. Prenez de bons compléments en vitamines et minéraux afin de vous assurez que votre fatigue n'est pas causée par des carences en substances élémentaires essentielles au fonctionnement global de l'organisme.

• Prenez 200 mg de magnésium par jour et 15 g de zinc.

• La vitamine B12, qui favorise le sommeil, est incluse dans un complément en vitamines B-complexes.

• Prenez davantage de calcium juste avant de vous coucher.

• Le tryptophane, un acide aminé, encourage un sommeil réparateur ; on le trouve dans l'avocat, la dinde, les bananes et le beurre de cacahouète.

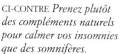
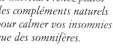

CI-CONTRE *Prenez plutôt des compléments naturels pour calmer vos insomnies que des somnifères.*

L'appareil génital féminin

L'APPAREIL GÉNITAL FÉMININ *est destiné à la conception, à la grossesse et à la mise au monde. L'organisme sécrète une quantité d'hormones différente selon un cycle mensuel distinct. Hors fécondation, le taux d'hormones du corps décroît, la dentelle utérine est rejetée, le cycle recommence. La sécrétion hormonale ovarienne est régulée par la glande pituitaire (hypophyse) située sous le cerveau, le stress peut donc affecter le cycle menstruel.*

STÉRILITÉ

CI-CONTRE *Les deux parents devraient suivre un régime alimentaire équilibré afin de produire un sperme et des ovules sains.*

La stérilité, ou l'incapacité à concevoir, touche de nombreuses femmes. La principale cause de stérilité est un problème d'ovulation généralement dû à une mauvaise production hormonale. D'autres dysfonctionnements (des ovaires ou des trompes de Fallope ainsi que des problèmes structurels de l'utérus) peuvent aussi entraîner ce processus : fibrome ou endométriose.
• Manger beaucoup d'aliments complets, riches en vitamines et en minéraux, prépare le corps de la femme à accueillir dans des conditions optimales un embryon et de mener une grossesse dans les meilleures conditions pour enfin donner naissance à un enfant en parfaite santé.
• La vitamine E peut réguler la production de mucus cervical.
• L'absorption d'acides gras essentiels (poissons gras, graines, noix, noisettes, amandes, huile d'onagre, huiles végétales non raffinées) peut stimuler la production des hormones sexuelles.
• Les femmes devraient prendre en complément 500 mg de vitamine C et 15 mg de zinc deux fois par jour.

PROBLÈMES MENSTRUELS

Les principaux troubles liés aux règles sont la dysménorrhée (règles douloureuses), la ménorragie (flux menstruel excessif) et l'aménorrhée (absences de règles ou irrégularité). La dysménorrhée est caractérisée par des crampes dans la région abdominale causées par des contractions utérines. Un flux trop important de sang menstruel peut aussi entraîner des douleurs abdominales qui, parfois, sont réellement handicapantes. L'aménorrhée se produit souvent chez les toutes jeunes filles et avant la ménopause, mais peut aussi être provoquée par une perte de poids, le stress, des carences nutritionnelles ou un déséquilibre hormonal.
• Prendre deux fois par jour de la vitamine B6 et 50 mg de vitamines B-complexes prévient les douleurs.
• Le magnésium (200 mg par jour) soulage les règles douloureuses.

• L'huile d'onagre et les huiles de poisson (500 mg par jour) peuvent diminuer les troubles liés aux menstruations, dont les règles trop longues et les crampes.
• L'agnus-castus peut réguler les hormones (25 gouttes trois fois par jour durant les repas).
• Le fer (5 mg par jour, plus si vous perdez beaucoup de sang) et le zinc (15 mg) sont utiles en cas de flux menstruel élevé.
• Prenez de la vitamine A (5 000 ui) et la vitamine B6 en cas de règles abondantes.
• Les bioflavonoïdes équilibrent les taux hormonaux et régulent le cycle menstruel. Prenez-les dans un bon complément en vitamine C, ou augmentez votre prise de bioflavonoïdes *via* certains aliments riches en cette substance (*voir* page 85).
• Des carences en zinc et vitamine B6 peuvent souvent entraîner une aménorrhée.

PROBLÈMES LIÉS À LA GROSSESSE

De nombreuses femmes sont confrontées à divers problèmes pendant leur grossesse, dus généralement aux modifications hormonales ou aux nouvelles tensions subies par le corps. Ces troubles sont entre autres: l'anémie, la constipation, des crampes, des veines variqueuses, le muguet vaginal, des vergetures, des nausées et des vomissements.

• Le fer combat et guérit l'anémie; assurez-vous d'en prendre suffisamment (consultez votre généraliste pour la posologie), associez-le de la vitamine C (500 mg par jour) qui facilite son assimilation.

• L'acide folique est indispensable au développement optimal du fœtus (au moins 400 mcg par jour).

• Augmentez votre consommation en fibres pour écarter les risques de constipation.

• Absorbez des aliments riches en calcium afin d'éviter les crampes.

• Les acides gras essentiels sont indispensables à la croissance du nourrisson, surtout pour le développement de son système nerveux et de son cerveau. Une bonne prise influence la vue et l'intelligence du nouveau-né.

• Il est recommandé aux femmes enceintes ou qui allaitent de prendre de la vitamine A sous forme de bêta-carotène (pas plus de 10 000 ui par jour), ainsi que des vitamines D et C pour constituer la réserve de vitamines qui passera dans le placenta.

• Les carences en zinc provoquent la naissance de nourrissons de petit poids. Prenez-en 15 mg par jour.

• Les vitamines C et E, les bioflavonoïdes, le zinc et la levure de bière favorisent la guérison des vaisseaux sanguins endommagés qui entraînent des varices.

• Prenez de l'acidophilus contre le muguet, consommez beaucoup de yaourts fermentés, ou appliquez-les sur la zone atteinte.

• Les vitamines E, C, le zinc, la silice et l'acide pantothénique contribuent à protéger des vergetures. Appliquez de l'huile à base de vitamine E sur l'abdomen et le périnée.

• Les nausées et les vomissements peuvent être réduits par l'absorption de 10 mg de zinc par jour, associés à 5 mg de fer, 100 mg de magnésium et 200 mcg d'acide folique.

NAUSÉES ET VOMISSEMENTS SONT FRÉQUENTS LORS DE LA MATERNITÉ

PRENEZ DU FER CONTRE L'ANÉMIE

APPLIQUEZ DE L'HUILE À BASE DE VITAMINE E SUR L'ABDOMEN

MANGEZ DES FIBRES POUR ÉVITER LA CONSTIPATION

CI-DESSUS *La plupart des femmes subissent de petits problèmes tout au long de leur grossesse.*

SYNDROME PRÉMENSTRUEL

Le syndrome prémenstruel est dû à toute une série de symptômes physiques et émotionnels qui se manifestent entre l'ovulation et les règles. Les symptômes physiques sont: rétention d'eau, poitrine gonflée, problèmes de peau et maux de tête. Certaines femmes se sentent déprimées, au bord des larmes, et, dans des cas extrêmes, suicidaires. Ce syndrome serait causé par un déséquilibre hormonal de l'organisme.

• L'huile d'onagre allège efficacement les œdèmes et l'eczéma, soulage les poitrines douloureuses. Posologie: de 6 à 8 gélules de 500 mg par jour au moins pendant quatre mois.

• Les vitamines B-complexes baissent la tension nerveuse. Posologie: de 50 à 100 mg par jour.

• L'huile de lin hydrate les peaux

GÉLULES D'HUILE D'ONAGRE

trop sèches (une cuillère à soupe par jour).

• Le magnésium pris deux fois par jour en dose de 500 mg favorise le sommeil, réduit les palpitations et les douleurs pendant les règles.

• Prenez 15 mg de zinc chaque jour durant le cycle.

• L'agnus-castus équilibre les hormones. Posologie: 25 gouttes trois fois par jour durant les repas.

• Le chrome peut alléger les symptômes liés au sucre dans le sang.

PROBLÈMES LIÉS À LA MÉNOPAUSE

La ménopause marque la fin de la période de reproduction chez la femme ; elle peut s'accompagner de symptômes physiques et émotionnels inconfortables : bouffées de chaleur, maux de tête, règles trop abondantes, irritabilité, sautes d'humeur, douleurs lors des rapports sexuels dues essentiellement à une sécheresse vaginale. Les modifications hormonales (une baisse des œstrogènes et de la progestérone) dans l'organisme sont souvent à l'origine de ces troubles.

• L'huile lin et d'onagre, les vitamines B-complexes (50 mg par jour) et le zinc (15 mg par jour) peuvent traiter les problèmes de peau.

• Contre les insomnies et les troubles du sommeil, prenez 200 mg de magnésium.

• L'agnus-castus (environ 25 gouttes de teinture, trois fois par jour) équilibre les hormones et soulage les symptômes liés à la ménopause.

• Prenez du magnésium et des vitamines B-complexes pour lutter contre l'anxiété et l'irritabilité.

• La vitamine E, l'huile de lin, l'acidophilus et les vitamines du groupe B apaisent les poitrines sensibles.

• La vitamine C (entre 500 et 1 000 mg par jour) peut soulager la constipation.

• Contre l'apathie et la fatigue, prenez du coenzyme Q10. Vérifiez préalablement que vous n'êtes pas anémiée.

• La quercétine soulage les migraines et les maux de tête liés à la ménopause, ainsi que la vitamine C et E.

• La vitamine C, associée aux bioflavonoïdes, régule les flux sanguins trop importants. La vitamine A (environ 1 000 ui), le zinc, le fer et les vitamines du groupe B peuvent aussi soulager les règles trop abondantes.

• Le sélénium, présent dans les bons compléments d'antioxydants, soulage les bouffées de chaleur. La vitamine C peut jouer le même rôle.

• Le zinc, la vitamine C (500 g par jour), la vitamine E (200 ui par jour) et le magnésium soulagent les règles douloureuses.

• Les ovules de vitamine E combattent la sécheresse vaginale.

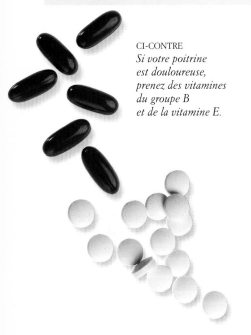

CI-CONTRE
Si votre poitrine est douloureuse, prenez des vitamines du groupe B et de la vitamine E.

MUGUET VAGINAL

Les symptômes d'un muguet vaginal sont une vulve sèche, rouge, qui démange ainsi que des pertes blanches. Ils sont provoqués par un organisme appelé *candida albicans* qui se reproduit dans les régions tièdes et humides de notre organisme. Il devient problématique lorsqu'il prolifère. Le muguet apparaît généralement après un traitement aux antibiotiques car ils ont tendance à abîmer la flore intestinale qui maîtrise le candida en temps ordinaire.

• Prenez de l'échinacée trois fois par jour dans le cas de muguet chronique et toutes les deux heures dans le cas

de crise aiguë afin de renforcer le système immunitaire.

• L'acidophilus pris sous forme de comprimés restaure la flore qui peut alors combattre l'infection.

• Un lavement intime au yaourt fermenté favorise la croissance de la flore et prévient l'infection de champignons. Faites-le régulièrement si vous êtes sujette au muguet.

• Prenez un complément vitaminé et minéral sans levure si vous souffrez de muguet récurrent.

• Un complément en zinc (20 mg par jour) ou en fer (200 mg une à deux fois par jour) soulage lorsque les règles sont trop abondantes.

CI-CONTRE *Contre les crises de muguet vaginal, vous pouvez faire un lavement intime au yaourt fermenté.*

L'appareil génital masculin

L'APPAREIL GÉNITAL MASCULIN *se situe partiellement dans le bas-ventre (prostate, canal déférent), et à l'extérieur (pénis, scrotum qui protège les testicules). Les testicules produisent les spermatozoïdes. Chez les hommes, les organes de reproduction sont étroitement liés au système urinaire et l'urètre transporte à la fois l'urine et le fluide séminal.*

STÉRILITÉ

Parmi les couples qui ont des problèmes pour concevoir un enfant, 30 % des cas relèvent de la stérilité masculine.

• Le zinc est indispensable à la production de sperme, les hommes carencés en zinc ont une numération très réduite ou proche de zéro. Il favorise les pulsions sexuelles et, pris en complément, augmente la fertilité.

• Manger des aliments complets, riches en vitamines et en minéraux donne un sperme de qualité.

• Les compléments en vitamines E et B6 sont favorables à une bonne numération de spermatozoïdes.

• Une prise accrue d'acides gras essentiels (présents dans les poissons gras, les huiles de foie de poisson, les graines, les noix, les noisettes, les amandes, les légumes secs, les haricots, l'huile d'onagre et les huiles végétales non raffinées) peut stimuler la production d'hormones sexuelles.

• Un complément en sélénium peut améliorer la mobilité du sperme.

• Les hommes carencés en vitamine C ont un sperme qui présente des risques génétiques plus importants.

• Les hommes devraient prendre 500 mg de vitamine C deux fois par jour ainsi que 15 mg de zinc.

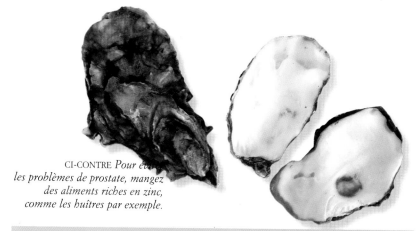

CI-CONTRE *Pour éviter les problèmes de prostate, mangez des aliments riches en zinc, comme les huîtres par exemple.*

ADÉNOME PROSTATIQUE ET PROSTATITE

La prostate est une glande à sécrétion externe et interne de l'appareil génital masculin, située autour de la partie initiale de l'urètre et en dessous de la vessie. Une hypertrophie bénigne de la prostate consiste en une excroissance non cancéreuse qui fait que le flux d'urine est obstrué. La prostatite, inflammation de la glande, se produit souvent après une infection du canal urinaire qui s'est propagée à la prostate. Ces symptômes comprennent des envies constantes d'uriner, accompagnées de difficultés ainsi que des douleurs à la base du pénis.

• Les principales causes nutritionnelles des problèmes de prostate sont liées à une carence en acide gras essentiel ou en zinc, une surcharge toxique.

• L'extrait de pollen a des propriétés anti-inflammatoire et hormonale : une étude à démontré avec succès un soulagement de la prostatite chronique chez quinze hommes testés.

• Un déficit en zinc a souvent été mis en cause dans les problèmes de prostate. Il est recommandé d'en absorber 15 mg par jour, ainsi que du sélénium, excellent antioxydant, afin de réduire le taux en cadmium qui serait, apparemment, responsable de nombreux cas de troubles de la prostate.

• Prenez 500 mg d'huile de poisson et d'huile d'onagre par jour contre les adénomes prostatiques.

Bibliographie

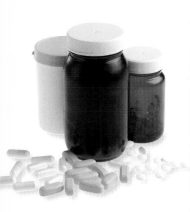

AMSELLEM, Agnès,
*Bien manger
pour bien maigrir*
Étincelle, 1978

AUBERT, Emmanuelle,
*Les Grains d'or
dans la cuisine*
Courrier du livre, 1983

CATANI, Martine
et MEYNIER, Carmen
*Maigrissez bien,
maigrissez bio :
pour un amaigrissant
durable et sans carence*
Trois Fontaines, 1994

CLERGEAUD, Chantal
et Lionel
*Les Cocktails vitamines :
connaître et utiliser
minéraux et vitamines*
Équilibre, 1991

DEBUIGNE, Gérard,
*Dictionnaire des plantes
qui guérissent*
Larousse, 1987

DEXTREIT, Raymond,
*Cancer, que faire
pour l'éviter, que faire
s'il est déjà là ?*
Vivre en harmonie, 1973

DEXTREIT, Raymond,
Les Remèdes naturels
Vivre en harmonie, 1993

DOROSZ, Philippe,
*Vitamines, sels minéraux
et oligo-éléments*
Maloine, 1987

DONADIEU, Yves
et PHAM QUANG, Chau,
*Ginseng :
thérapeuthique naturelle*
Maloine, 1981

DROZ, Camille,
*La Mère nature
et ses secrets*
C. Droz, 1970

DURRAFFOURD, Christian,
LAPRAZ, Jean-Claude
et VALNET, Jean
*ABC de phytothérapie
dans les maladies
infectieuses*
Grancher, 1998

FRISCH, Robert,
Les Plantes médicinales
SAEP, 1987

KOUSMINE-MEYER,
Catherine,
*Soyez bien
dans votre assiette
jusqu'à 80 ans et plus*
Sand, 1998

LAJUSTICIA BERGASA,
Ana Maria
Magnésium et santé
Ennsthaler, 1993

MASSON, Robert
*Superrégénération
par les aliments miracles*
Albin Michel, 1982

MICHEL,
Pierre-François
*Ginkgo biloba : l'arbre
qui a vaincu le temps*
Éd. du Félin, 1998

MOATTI, Roger
*Maigrir par les plantes
et les oligo-éléments*
Marabout, 1987

PASTEUR, Jean-Louis,
*Toutes les vitamines pour
vivre sans médicaments*
J'ai lu, 1994

(ŒUVRE COLLECTIVE)
*Encyclopédie
des plantes médicinales*
Larousse, 1997

ROUSSELET-BLANC,
Josette
et LAVÉDRINE, Anne,
*Aliments mythiques
qui font des centenaires*
M. Lafon, 1997

SOUCCAR, Thierry,
*La Révolution
des vitamines*
J'ai lu, 1998

VALNET, Jean
*Aromathérapie :
traitement des maladies
par les essences
des plantes*
LGF, 1984

VALNET, Jean
*Traitement des maladies
par les fruits, les légumes
et les céréales*
Maloine, 1982

ZAÏD, Nora,
Les Vertus des plantes
Ellébore, 1998

Adresses utiles

ADRESSES

Annuaire vert
11, rue Saint-Ambroise
75011 Paris
Tél. 01 47 00 46 46

**Association de défense
et d'information
des utilisateurs de médecine
douce (ADIMED)**
2, rue d'Isly
75008 Paris
Tél. 01 43 87 88 59

**Association de défense
des consommateurs
de plantes médicinales
(ADCPM)**
217-219, bd Saint-Denis
92 400 Courbevoie

**Association de production
et de recherche en
aromathérapie (APRAP)**
La Tour Carrée
de Montaleigne
06 700 Saint-Laurent-du-Var

**Association des diététiciens
de langue française (ADLF)**
35, allée Vivaldi
75012 Paris
Tél. 01 40 02 03 02

**Association des diététiciens
libéraux de la région
parisienne (ADLRP)**
58, rue de la Paroisse
78000 Versailles
Tél. 01 39 51 51 99

**Association médecines
douces assistance**
307, rue Paradis
13008 Marseille
Tél. 04 78 37 49 66

**Association pour le
renouveau de l'herboristerie**
92, rue Balard
75015 Paris
Tél. 01 45 58 66 58

**Collège européen
de naturopathie
traditionnelle holistique
(CENATHO)**
173, rue du Faubourg-
Poissonnière
75009 Paris
Tél. 01 48 78 43 68

**Comité français d'éducation
pour la santé (CFES)**
2, rue Auguste-Comte
92 170 Vanves
Tél. 01 41 33 33 33

FENAHMAN
119, rue Championnet
75018 Paris
Tél. 01 42 29 41 80

**Institut français
de phytothérapie**
94, bd Flandrin
75016 Paris

**Institut français
d'études et de recherches
sur les oligo-éléments
(IFEROM)**
151, avenue de Wagram
75017 Paris

L'école des plantes
59, rue Falguière
75015 Paris
Tél. 01 40 47 04 05

**Société française
de phytothérapie
et d'aromathérapie (SFPA)**
19, bd Beauséjour
75016 Paris
Tél. 01 40 50 88 57

**Syndicat national
de l'herboristerie**
2, quai Jules-Courmont
69002 Lyon
Tél. 04 78 37 49 66

SITES INTERNET FRANÇAIS

Almarome
www.almarome.com

Annuaire vert
www.vert-world.com

Espace nature
www.espace-nature.com

Naturopathie
www.naturmed.com

Phytothérapie
www.chez.com./phyto/

SERVEURS MINITEL

Auberge de santé
3615 *code* ADS

Appel santé
3615 *code* APPELSANTÉ

**Diététique
et menus équilibrés**
3615 *code* DIETIC

Index